SALVADO POR LA LUZ

DANNION BRINKLEY
CON PAUL PERRY
CON UNA INTRODUCCION DE RAYMOND MOODY, M.D.

SALVADO
POR LA
LUZ

Javier Vergara Editor s.a.
Buenos Aires / Madrid
México / Santiago de Chile
Bogotá / Caracas / Montevideo

Título original
SAVED BY THE LIGHT

Edición original
Villard Books

Traducción:
Edith Zilli

Diseño de Tapa:
Verónica López

ISBN 950-15-1446-3

Impreso en la Argentina / Printed in Argentine.
Depositado de acuerdo a la Ley 11.723

*Este libro está dedicado a los médicos,
enfermeras y voluntarios que realizan el valioso
trabajo hospitalario.*

*También a mi familia, los Brinkley,
y especialmente al doctor Raymond Moody.*

Indice

Introducción
por Raymond Moody, Doctor en Medicina 11
1. La primera vez que morí 15
2. El túnel de la eternidad 21
3. "Ha muerto" 33
4. La ciudad de cristal 35
5. Las cajas del conocimiento 39
6. El regreso 59
7. En casa 69
8. Una gracia salvadora 79
9. Una nueva razón para vivir 89
10. Con los míos 97
11. Poderes especiales 117
12. Reconstrucción 131
13. Paro cardíaco 141
14. La segunda vez que morí 151
15. Continuará 161

Introducción

La primera vez que tuve noticias de Dannion Brinkley fue por un artículo publicado en un periódico de Augusta, Georgia. Informaba que un joven de cierta comunidad de Carolina del Sur había sido alcanzado en la cabeza por un rayo, mientras hablaba por teléfono, y había resucitado milagrosamente de un paro cardíaco. Aún estaba vivo, pero pendía de un hilo. Se encontraba en un estado muy crítico y parecía difícil que sobreviviera.

Esto ocurría en 1975, cuando se estaba por publicar mi libro *La vida después de la vida*. Recuerdo haberme preguntado, por entonces, si el joven habría tenido una experiencia de cuasi-muerte. Archivé ese artículo, pensando en averiguar su estado en algún momento y hasta buscarlo, si aún estaba con vida.

En realidad fue él quien me buscó a mí.

Yo me hallaba en una universidad de Carolina del Sur, dando una conferencia sobre mis estudios de la muerte clínica y las personas que habían tenido esas profundas experiencias espirituales estando en el umbral de la muerte. Durante el período de debate, al terminar la disertación, Dannion levantó la mano y habló de su experiencia. Mantuvo al público hechizado con su dramático relato. Dijo a los presentes que, tras haber sido "matado" por un rayo, abandonó su cuerpo y viajó a un reino espiritual donde el amor lo impregna todo y el conocimiento es tan accesible como el aire. Mientras contaba su historia, comprendí de pronto que se trataba del joven mencionado por aquel artículo periodístico.

Más tarde concerté con él una entrevista y fui a su casa para escuchar su relato. Hasta el día de hoy, la experiencia de muerte clínica de Dannion Brinkley es una de las más notables de cuantas he escuchado. Por dos veces vio su propio cuerpo muerto: al abandonarlo y al regresar; mientras tanto estuvo en un reino espiritual, poblado por seres amables y poderosos, que le permitieron ver su vida completa y evaluar sus propios éxitos y fracasos. Luego fue a una bella ciudad de cristal y luz, donde compareció ante trece Seres de Luz que lo llenaron de conocimiento.

Lo más asombroso era el tipo de conocimiento al que lo habían expuesto. En presencia de esos seres espirituales, decía Dannion, se le permitió echar un vistazo al futuro.

Cuando me contó lo que había visto, tomé todo eso por tonterías, divagaciones de un hombre asado por el rayo. Me dijo, por ejemplo, que en 1989 se produciría el colapso de la Unión Soviética y que este se caracterizaría por los disturbios provocados por personas hambrientas. Hasta mencionó una gran guerra en los desiertos del Medio Oriente, que se libraría cuando un país pequeño fuera invadido por uno grande. Según los Seres de Luz, habría un choque de dos ejércitos, uno de los cuales sería destruido. Esta guerra se libraría en 1990, insistía Dannion.

La guerra de la que hablaba era, por supuesto, la Guerra del Golfo.

Como ya he comentado, consideré que sus predicciones eran puro sin sentido. Con el correr de los años me he limitado a asentir y a anotar lo que él decía. Por mucho tiempo pensé que el incidente le había alterado un poco el cerebro, por lo que estaba dispuesto a brindarle bastante tolerancia. Después de todo, me decía, ¿quién no se mostraría un poco extraño después de haber sido alcanzado por un rayo?

Más tarde fui yo quien quedó como fulminado por un rayo, al caer en la cuenta de que los hechos anunciados por él se estaban cumpliendo. ¿Cómo era posible? ¿Cómo podía una experiencia de muerte clínica producir la facultad de ver el futuro? No tenía respuesta.

Desde que hablamos por primera vez, en 1976, Dannion y yo somos amigos íntimos. En esos años transcurridos, otra revelación me ha hecho sentir como fulminado por un rayo. ¡Dannion Brinkley parece capaz de leer la mente!

Lo ha hecho muchas veces conmigo; simplemente, me miraba a los ojos y me decía lo que estaba pasando en los aspectos más personales de mi vida. Más importante aún: lo he visto leer la mente de perfectos desconocidos, diciéndoles qué habían recibido por correo ese mismo día, quién les telefoneaba o qué sentían por sus cónyuges, sus hijos y hasta por sí mismos.

No lo hace con la forma de afirmaciones vagas. Por el contrario, es increíblemente específico. Cierta vez vino a una universidad donde yo estaba dando clase y ¡dio detalles de la vida personal de todos los estudiantes presentes! Tan exacto y específico fue en sus adivinaciones que todos los miembros de la clase quedaron boquiabiertos; algunos lloraban abiertamente ante sus revelaciones. Debo señalar que, antes de entrar en el aula, nunca había hablado con uno solo de esos estudiantes. Todos le eran desconocidos.

Tantas veces le he visto "leer el pensamiento" a perfectos desconocidos que es algo casi habitual en mi vida. En realidad, he llegado a apreciar ese momento de captación en el que alguien remplaza su escepticismo por un respeto sobrecogedor y luego por maravilla, al ver que sus pensamientos más privados son como un libro abierto.

¿Cómo es posible que, tras una experiencia de muerte clínica, una persona sea súbitamente capaz de leer la mente y predecir el futuro?

En su libro *Transformed by the Light*, el doctor Melvin Morse describe un estudio realizado sobre el tema, donde demuestra que quienes han tenido experiencias de muerte clínica presentan un número de experiencias psíquicas verificables tres veces mayor que quienes nunca las han vivido. Sus facultades psíquicas no son tan profundas como las exhibidas por Dannion, pero aun así son mensurables. Este estudio concuerda con otros parecidos y demuestra que, en esas profundas experiencias espirituales, existe algo que estimula las percepciones extrasensoriales.

En fin, debo admitir que Dannion Brinkley me desconcierta. Al mismo tiempo, su relato me reconforta un poco. Es, al fin de cuentas, un misterio, pero son los misterios como este los que nos impulsan hacia adelante en busca de respuestas.

Raymond Moody, médico.

1

La primera vez que morí

Unos cinco minutos antes de morir oí el retumbar del trueno; otra tormenta marchaba hacia Aiken, Carolina del Sur. Por la ventana veía los relámpagos que cruzaban el cielo, haciendo ese ruido crepitante que producen antes de tocar la tierra con un chasquido seco. "La artillería de Dios", como la llamaba alguien de mi familia. Con el correr de los años yo había oído relatos por decenas sobre personas y animales alcanzados y fulminados por el rayo. Mi tío abuelo solía contar cuentos de esos por la noche, cuando retumbaban las tormentas de verano y el cuarto se iluminaba con intensos destellos; para mí eran tan pavorosos como los cuentos de fantasmas. Jamás había perdido el miedo a los rayos. Aun esa noche, el 17 de septiembre de 1975, teniendo veinticinco años, quería dejar el teléfono cuanto antes para evitar "un telefonema de Dios". Creo que era también mi tío abuelo quien solía decir: "Recuerda: si recibes un telefonema de Dios, generalmente te conviertes en la zarza ardiente." Pero estoy seguro de que era un chiste.

—Oye, Tommy, tengo que cortar. Viene tormenta.

—¿Y qué? —dijo él.

Pocos días antes yo había regresado de un viaje a América del Sur y estaba pegado al teléfono. Trabajaba para el gobierno y también tenía varios emprendimientos comerciales propios. Poseía y alquilaba varias casas, compraba y reparaba autos antiguos, ayudaba en los almacenes de mi familia y estaba organizando una empresa. Afuera caía la lluvia y yo tenía que dar por terminada esa última conversación telefónica con un socio.

—Tengo que cortar, Tommy. Mi madre siempre me decía que no usara el teléfono durante las tormentas eléctricas.

Y eso fue todo. El próximo ruido que percibí fue como si un tren de carga me entrara por el oído a la velocidad de la luz. Unas descargas eléctricas me recorrieron el cuerpo; cada célula de mi ser parecía bañada en ácido para baterías. Los clavos de mis zapatos quedaron soldados a los del suelo, de modo tal que, cuando volé por el aire, los pies se me salieron del calzado. Vi el techo delante de mi cara y, por un momento, no logré imaginar qué potencia era la que me causaba un dolor tan abrasador y me tenía suspendido por sobre mi propia cama. Lo que debió de ser una fracción de segundo me pareció una hora.

En algún lugar, al otro lado del pasillo, mi esposa Sandy había gritado, al oír el trueno:

—Ese cayó cerca.

Yo no la oí; lo supe sólo mucho después. Tampoco vi su expresión horrorizada cuando, al mirar desde el pasillo, me vio suspendido en el aire. Por un momento sólo vi la escayola del cielo raso.

Luego pasé a otro mundo.

De un dolor inmenso pasé a encontrarme envuelto en paz y tranquilidad. Era una sensación que yo desconocía y que no he experimentado desde entonces, como bañarse en una calma gloriosa. El lugar al que fui era una atmósfera de azul intenso y gris, en el que pude descansar por un momento y preguntarme qué era lo que me había golpeado con tanta fuerza. ¿Acaso un avión estrellado contra la casa? ¿Un ataque nuclear lanzado contra nuestro país? No tenía idea de lo ocurrido, pero aun en ese momento apacible quería saber dónde estaba.

Comencé a mirar a mi alrededor, girando en el aire. Debajo de mí estaba mi propio cuerpo, cruzado en la cama, con los zapatos echando humo y el teléfono fundido en la mano. Vi que Sandy entraba corriendo. Se detuvo junto a la cama y me miró con expresión aturdida, como la del padre que encuentra a su hijo flotando en la piscina con la cara sumergida. Por un momento se estremeció; luego puso manos a la obra. Poco antes había tomado un curso de resucitación cardiorrespiratoria y sabía exactamente lo que debía hacer. Primero me limpió la garganta y me apartó la lengua a un costado; luego me echó la cabeza hacia atrás y comenzó a soplar dentro de mi boca. Una, dos, tres veces; después se instaló a horcajadas sobre mi vientre para apretarme el pecho. Apretaba tanto que lanzaba un gruñido con cada esfuerzo.

"Debo de estar muerto", pensé; no sentía nada, pues no estaba en mi cuerpo. Era un espectador de mis últimos instantes en la tierra; observaba mi propia muerte con tanta indiferencia como si estuviera ante dos actores que la representaran por televisión. Sentí pena por Sandy, pues percibía su miedo y su dolor, pero la persona tendida en la cama no me interesaba. Recuerdo un pensamiento demostrativo de lo lejos que estaba del dolor. Mientras contemplaba al hombre de la cama, recuerdo haber pensado: "Me creía más apuesto."

La resucitación cardiorrespiratoria debe de haber surtido efecto, pues de pronto me encontré nuevamente en mi cuerpo. Sandy, por encima de mí, seguía apretándome el pecho. Normalmente, una presión como esa, capaz de quebrar los huesos, habría sido dolorosa, pero yo no la sentía. La electricidad había circulado por mi cuerpo y no existía en mí un solo sitio que no pareciera quemado desde adentro hacia afuera. Empecé a gemir, pero sólo porque estaba demasiado débil para aullar.

En menos de diez minutos apareció Tommy. Al oír la explosión por teléfono supo que había ocurrido algo malo. Como era ex enfermero de la Marina, Sandy dejó que se hiciera cargo. El me envolvió en una manta y le dijo que llamara a la unidad de emergencia médica.

—Haremos lo que se pueda —dijo, apoyándome una mano en el pecho.

Por entonces yo había vuelto a abandonar el cuerpo. Vi que Tommy me sostenía, maldiciendo la lentitud de la ambulancia, que se oía a la distancia. Yo permanecí suspendido sobre los tres (Sandy, Tommy y yo mismo) mientras los técnicos médicos me ponían en la camilla para llevarme a la ambulancia.

Desde donde estaba, suspendido a cuatro o cinco metros por encima de todos, vi la lluvia torrencial que me golpeaba la cara y empapaba las espaldas del equipo llegado en la ambulancia. Sandy lloraba; sentí pena por ella. Tommy hablaba en voz baja con los hombres. Me pusieron en la ambulancia, cerraron las portezuelas y partieron.

Mi perspectiva era la de una cámara de televisión. Sin pasión ni dolor, vi que la persona acostada en la camilla empezaba a retorcerse y a saltar. Sandy se apretó contra el costado de la ambulancia, aterrorizada al ver las convulsiones del hombre a quien amaba. El técnico de emergencias inyectó algo en el cuerpo, esperando obtener algún resultado positivo, pero el hombre de la camilla, después de varias convulsiones penosas, dejó de moverse. El técnico le aplicó un estetoscopio en el pecho y dejó escapar un suspiro.

—Lo perdimos —dijo a Sandy—. Lo perdimos.

La idea me golpeó de pronto: ¡ese hombre de la

camilla era yo! Vi que el técnico me cubría la cara con una sábana y se respaldaba hacia atrás. La ambulancia no aminoraba la marcha y el técnico del asiento delantero seguía comunicado por radio con el hospital, tratando de averiguar si había algo que los médicos pudieran indicarles. Pero el hombre de la camilla estaba obviamente muerto.

"¡Estoy muerto!", pensé. No estaba en mi cuerpo y, francamente, puedo decir que no deseaba estar allí. Si algo pensaba era, simplemente, que ese cuerpo cubierto por la sábana no tenía nada que ver conmigo.

Sandy sollozaba y me daba palmaditas en la pierna. Tommy se sentía aturdido y abrumado por lo súbito de ese acontecimiento. El técnico de emergencias médicas se limitaba a mirar el cuerpo con aire de fracasado.

"No te aflijas, amigo", pensé. "No es culpa tuya."

Miré por delante de la ambulancia, a un sitio por encima de mi cuerpo muerto. Se estaba formando un túnel que se abría como el ojo de un huracán y se acercaba a mí.

"Ese lugar parece interesante", pensé. Y hacia allá fui.

2

El túnel de la eternidad

En realidad, no me moví en absoluto: el túnel vino a mí.

Hubo un tañido de campanas en tanto se me acercaba en espiral para rodearme. Pronto no hubo nada que ver: ni Sandy, que lloraba, ni los de la ambulancia tratando de resucitar mi cuerpo muerto, ni el parloteo desesperado por radio en comunicación con el hospital; sólo un túnel que me envolvía por completo y la intensa belleza de siete campanas que tañían en rítmica sucesión.

Miré adelante, hacia la oscuridad. Allí había una luz; comencé a avanzar hacia ella tan de prisa como pude. Me movía sin piernas, a gran velocidad. Allí adelante, la luz se hizo más y más intensa, hasta que se impuso a la oscuridad y me dejó de pie en un paraíso de luz brillante. Nunca había visto una luz tan intensa, pero no hería la vista en absoluto. A diferencia del dolor que uno siente al salir de un cuarto oscuro a la luz del sol, aquella era sedante para los ojos.

Mirando a la derecha, vi aparecer una forma plateada, como una silueta en la niebla. Mientras se aproximaba comencé a sentir una profunda sensación de amor, que abarcaba todos los significados de esa palabra. Era como estar ante la amante, la madre y el mejor amigo, todo multiplicado mil veces. Cuando el Ser de Luz se me acercó, esos sentimientos de amor se intensificaron hasta darme un placer casi insoportable. Tuve la sensación de tornarme menos denso, como si hubiera perdido diez o quince kilos. La carga del cuerpo había quedado atrás; ahora era un espíritu sin estorbos.

Me miré la mano. Era traslúcida, reverberaba y se movía con fluidez, como el agua del océano. Bajé la vista a mi pecho. El también tenía la transparencia y el flujo de la seda fina en una brisa ligera.

El Ser de Luz se detuvo directamente frente a mí. Al contemplar su esencia vi prismas de color, como si estuviera compuesto de diamantes diminutos por millares, cada uno de los cuales emitía los colores del arco iris.

Empecé a mirar a mi alrededor. Por debajo de nosotros había otros Seres con un aspecto como el mío. Parecían estar perdidos y reverberaban a un ritmo mucho más lento que el mío. Al observarlos noté que yo también aminoraba mi ritmo. En esa vibración reducida había una molestia que me hizo apartar la vista.

Miré por encima de mí. Había más Seres, pero esos eran más luminosos y radiantes que yo. Al mirarlos también me sentí incómodo, pues empecé a vibrar con más celeridad. Era como si hubiera bebido demasiado café y ahora estuviera acelerado. Aparté la vista de ellos para mirar directamente al Ser de Luz, a quien ahora tenía adelante. En su presencia me sentía cómodo; esa familiaridad me hizo pensar que él había sentido todos los sentimientos de mi vida, desde que tomé mi primer aliento hasta el instante en que me fulminó el rayo. Mirando a ese Ser tuve la sensación de que nadie podía amarme más;

de nadie podría recibir más empatía, simpatía, aliento y compasión sin críticas que de él.

Aunque digo "él" cuando me refiero al Ser de Luz, nunca lo vi como masculino ni femenino. He repasado mentalmente muchas veces ese encuentro inicial y puedo decir, sinceramente, que de cuantos Seres conocí ninguno tenía sexo; sólo un gran poder.

Los Seres de Luz me envolvieron; entonces comencé a experimentar toda mi vida, viendo y sintiendo cuanto me había ocurrido. Era como si hubiera estallado un dique, dejando fluir todos los recuerdos almacenados en mi cerebro.

Esa revisión de mi vida no fue grata. Desde el principio hasta el fin me enfrenté a la asqueante realidad de que yo había sido una persona desagradable, egoísta y malvada.

Lo primero que vi fue mi colérica niñez. Me vi torturando a otros niños, robándoles la bicicleta o amargándoles la vida en la escuela. Una de las escenas más vívidas fue la del momento en que me ensañé con un niño de la primaria, porque la papada le sobresalía del cuello. Los otros chicos de la clase también se ensañaban con él, pero yo fui el peor. Por entonces me pareció divertido. En ese momento, al revivir el incidente, me descubrí dentro de su cuerpo, viviendo con el dolor que estaba causando.

Esa perspectiva se repitió en todos los incidentes negativos de mi niñez, numerosos, sin duda. Desde el quinto al duodécimo grado, calculo que me lié a golpes de puño seis mil veces, cuando menos. Ahora, al repasar mi vida en el seno del Ser, revivía cada uno de esos altercados, pero con una gran diferencia: el receptor era yo.

No era el receptor por sentir los golpes que había aplicado. Antes bien, experimentaba la angustia y la humillación de mis adversarios. Muchas de las personas con las que peleaba se lo merecían, pero otras eran víctimas inocentes de mi iracundia. Ahora me veía obligado a sentir su dolor.

También experimenté el pesar que había causado a mis padres. Cuando niño era indominable y me enorgullecía de eso. Aunque ellos me aplicaran penitencias y me gritaran, yo les demostraba con mis actos que su disciplina no tenía ninguna importancia. Muchas veces me suplicaron; muchas veces se enfrentaron a la frustración. Yo solía jactarme ante mis amigos de los sufrimientos que causaba a mis padres. Ahora, al repasar mi vida, sentí el dolor psicológico de tener un hijo tan malo.

La escuela primaria a la que asistí en Carolina del Sur tenía un sistema de amonestaciones. Cuando un alumno llegaba a las quince amonestaciones se llamaba a sus padres para una reunión; los que sumaban treinta quedaban suspendidos. Al tercer día de iniciar el séptimo grado yo tenía ya ciento cincuenta y cuatro amonestaciones. Pertenecía a ese tipo de alumnos que ahora llaman "hiperactivos"; ahora se hace algo por ellos, pero entonces éramos simplemente "chicos malos" y causas perdidas.

Cuando estaba en cuarto grado, un pelirrojo llamado Curt me esperaba todos los días a la entrada de la escuela y amenazaba con golpearme si yo no le daba el dinero de mi almuerzo. Yo tenía miedo y le daba el dinero.

Por fin me cansé de pasarme todo el día sin comer y expliqué a mi padre lo que estaba ocurriendo. El me enseñó a hacer una cachiporra con un par de medias de mi madre, rellenándolas de arena y atando los extremos. "Cuando vuelva a molestarte, golpéalo con la cachiporra", me dijo.

Mi padre no quería hacer daño, sino enseñarme a protegerme de los chicos más grandes. El problema fue que, después de aporrear a Curt y quitarle su dinero, le tomé el gusto a las peleas. Desde entonces en adelante no quería otra cosa que infligir dolor y ser recio.

En quinto grado hice una encuesta entre todos mis amigos para averiguar a quién consideraban el chico más recio del vecindario. Todos estaban de acuerdo en que era un corpulento muchachito llamado Butch. Fui a su casa y llamé a la puerta. "¿Está Butch?", pregunté a su madre. Cuando él salió, le pegué hasta hacerle caer del porche y hui a la carrera.

No me importaba quién fuera mi adversario, su tamaño ni su edad. Sólo me interesaba ver sangre.

Una vez, en sexto grado, la maestra me pidió que dejara de alborotar en clase. Como yo no obedeciera, me asió por el brazo y me condujo hacia la oficina del rector. Cuando salimos del aula, me liberé y le apliqué un "uppercut" que la derribó. Mientras ella se apretaba la nariz sangrante, fui solo al despacho del rector. Tal como expliqué a mis padres, no me molestaba presentarme ante él, pero no quería que la maestra me llevara a la rastra.

Ingresé a la secundaria junto a la cual vivíamos; cuando estaba suspendido me sentaba en el porche y observaba a los chicos durante los recreos. Un día, mientras estaba sentado allí, un grupo de niñas se acercó a la cerca para burlarse de mí. Yo no iba a soportarlo. Entré en la casa, busqué la escopeta de mi hermano y la cargué con sal gruesa. Luego salí y disparé a la espalda de las muchachas, que huían gritando.

A los diecisiete años tenía fama de ser uno de los mejores combatientes de la escuela secundaria. Para mantener esa reputación peleaba casi todos los días. Cuando en mi propia escuela no encontraba a ningún chico para golpear, competía con los malevos de otras escuelas.

Una vez por semana, cuando menos, organizábamos peleas en un estacionamiento próximo a la escuela. Para participar en ellas venían estudiantes hasta de cuarenta y cinco kilómetros de distancia. Cuando me tocaba combatir a mí, muchos de ellos no se apeaban del auto, pues después de golpear a mi adversario yo solía continuar con unos cuantos espectadores, sólo por divertirme.

En esos tiempos las escuelas secundarias estaban segregadas y había grandes guerras entre blancos y negros.

El campeón de los negros era un gigante llamado Lundy. A partir del día en que derrotó al campeón de los blancos, en una salvaje batalla de dos minutos, nadie más quiso pelear con él. Yo mismo trataba de evitarlo, sabiendo que no había modo de ganar.

Un día nos encontramos en un puesto de hamburguesas. Traté de retirarme de inmediato, pero él se me interpuso.

—Te espero mañana por la mañana, en el estacionamiento —dijo.

—Allí estaré —prometí. En cuanto él giró para alejarse, lo golpeé en el costado de la cara, con tanta fuerza que pasó diez minutos, cuando menos, sin poder abrir los ojos. Mientras se retorcía en el suelo caminé alrededor de él y lo pateé un par de veces en el pecho, con todas mis fuerzas.

—Como mañana no podré ir —le dije—, me pareció mejor hacerlo hoy mismo.

Sabiendo que no podría derrotarlo en una pelea limpia, lo había atacado por la espalda.

Ese fue el mundo donde viví durante la secundaria.

Veinte años después, en la reunión anual, un compañero de clase arrinconó a mi novia para decirle qué clase de alumno había sido yo.

—Voy a decirte por qué era tan famoso —le explicó—: te rompía el alma, te robaba la novia o ambas cosas a la vez.

Al hacer memoria tuve que reconocerlo, por cierto. Cuando terminé la secundaria, así era yo, exactamente. Y en ese punto de mi revisión me sentí avergonzado. Ahora sabía el dolor que había causado a todos. Con mi cuerpo tendido en esa camilla, revivía cada momento de mi vida, incluyendo mis emociones, actitudes y motivaciones.

Las emociones que experimentaba durante esta revisión eran asombrosas por lo profundas. No sólo podía experimentar lo que habíamos sentido yo y el otro al producirse el incidente, sino también los sentimientos de la siguiente persona a la que afectaban. Estaba en una reacción emotiva en cadena, que me demostró lo profundamente que nos afectamos unos a otros. Por suerte, no todo era malo.

En una ocasión, por ejemplo, mientras viajaba por la ruta con mi tío abuelo, vimos a un hombre castigando a una cabra que, de algún modo, se había atascado la cabeza en una cerca. La golpeaba en el lomo con una rama, con tanta fuerza que la cabra balaba de miedo y agonía. Yo detuve el auto y salté a través de una zanja. Antes de que el hombre pudiera volverse, lo golpeé con todas mis fuerzas en la nuca. Sólo me detuve cuando mi tío abuelo me apartó por la fuerza. Entonces liberé a la cabra y partimos en una nube de goma quemada.

Al revivir ese incidente sentí satisfacción por la humillación que había sentido el granjero y regocijo por el alivio de la cabra. Supe que el animal, a su modo, me había dado las gracias.

Pero no siempre era bondadoso con los animales. Me vi azotando a un perro con un cinturón. Al sorprenderlo mascando la alfombra de nuestra sala, perdí los estribos y me quité el cinturón para castigarlo, sin intentar ninguna forma de disciplina más suave. Cuando reviví este incidente experimenté el amor del perro hacia mí y caí en la cuenta de que él no había querido hacer aquello. Sentí su dolor y su pena.

Más tarde, al pensar en esas experiencias, comprendí que quienes castigan a los animales o son crueles para con ellos deberán saber lo que los animales sintieron cuando repasen su vida.

También descubrí que no importa mucho lo que se haga, sino por qué se lo hace. Por ejemplo: liarme a golpes con alguien sin razón valedera me hacía sufrir más, durante la revisión de mi vida, que si la pelea había sido provocada por el otro. Revivir el dolor que se ha causado por pura diversión es el peor de los dolores. Revivir el dolor que se ha provocado por una causa en la que se cree no es tan doloroso.

Esto se puso en evidencia cuando mi revisión me llevó a mis años de trabajo en asuntos militares y de inteligencia.

En el curso de unos pocos segundos, pasé por el adiestramiento básico, donde aprendí a canalizar mi cólera hacia el nuevo papel de soldado combatiente. Continué con el adiestramiento especial, viendo y sintiendo cómo se moldeaba mi carácter con el propósito de matar. Era la época de la guerra en Vietnam, y me encontré otra vez en las selvas pantanosas del sudeste asiático, haciendo lo que más me gustaba: combatir.

Pasé muy poco tiempo en Vietnam. Me asignaron a una unidad de inteligencia que operaba principalmente en Laos y Camboya. Hice algunos "trabajos de observación", poco más que observar con binoculares los movimientos de las tropas enemigas. Mi misión principal era "planear y ejecutar la eliminación de políticos y militares enemigos". En poca palabras, era un asesino.

No operaba solo. Otros dos *marines* me acompañaban a inspeccionar la selva, buscando blancos específicos. Ellos debían detectar el blanco con un telescopio de alta potencia y verificar que se hubiera eliminado a la persona deseada. Mi función era apretar el gatillo.

En cierta ocasión, por ejemplo, se nos envió a "eliminar" a un coronel norvietnamita que estaba con sus tropas en las selva de Camboya. Las fotografías aéreas nos indicaban dónde estaba apostado ese coronel. Nuestra misión consistía en cruzar la selva a pie para buscarlo. Aunque ese tipo de ataque demandaba mucho tiempo, se lo consideraba crucial, pues las tropas enemigas se desmoralizaban si se mataba al jefe estando entre ellas.

Encontramos al coronel justo donde lo indicaban los mapas. Nos instalamos discretamente a unos setecientos metros del campamento, aguardando el momento perfecto para "derribarlo".

Ese momento llegó a primera hora de la mañana siguiente, cuando las tropas se formaron para la revista diaria. Me puse en posición, apuntando la mira de mi fusil de precisión contra la cabeza del coronel, que estaba de pie ante los desprevenidos soldados.

—¿Es ese? —pregunté al detector, cuyo trabajo consistía en identificar a los blancos por las fotografías que nos proporcionaba Inteligencia.

—Es él —dijo—. El que está delante de las tropas.

Dejé escapar la descarga y el fusil reculó. Un momento después vi que le estallaba la cabeza y su cuerpo se derrumbaba ante el horror de los soldados.

Eso es lo que vi al ocurrir el incidente.

Durante la revisión de mi vida experimenté lo ocurrido desde la perspectiva del coronel norvietnamita. No sentí el dolor que debí de haber sentido. En cambio percibí su confusión al estallarle la cabeza y la tristeza de abandonar su cuerpo, sabiendo que jamás volvería al hogar. Luego sentí el resto de las reacciones en cadena: la tristeza de su familia al comprender que quedaban sin su sostén.

De ese modo reviví todas mis matanzas. Me veía matar y luego sentía sus horribles resultados.

En el sudeste asiático había visto asesinar a mujeres y a niños, destruir aldeas enteras sin motivo alguno o por motivos erróneos. Yo no había participado de esas matanzas, pero ahora debía experimentarlas otra vez, no desde el punto de vista del ejecutor, sino del ejecutado.

En una ocasión, por ejemplo, se me envió a un país que lindaba con Vietnam para asesinar a un funcionario del gobierno que no compartía "el punto de vista norteamericano". Entré con un equipo. Nuestro objetivo era eliminar a ese hombre en el pequeño hotel rural donde se hospedaba. De ese modo se demostraría tácitamente que nadie estaba fuera del alcance para el gobierno estadounidense.

Pasamos cuatro días en la selva, esperando la oportunidad de disparar limpiamente contra el funcionario, pero estaba siempre rodeado por un cortejo de guardaespaldas y secretarios. Por fin renunciamos y nos decidimos por otra solución: ya avanzada la noche, cuanto todos durmieran, pondríamos unos cuantos explosivos para hacer volar el hotel.

Eso fue lo que hicimos, exactamente. Rodeamos el hotel con explosivos plásticos y, al salir el sol, lo arrasamos, matando al funcionario junto con unas cincuenta personas hospedadas allí. Por entonces aquello me hizo reír; dije a mi oficial de control que toda esa gente merecía morir, pues era culpable por asociación.

Durante mi experiencia de muerte clínica vi ese accidente, pero en esa ocasión me asoló un torrente de emociones e información. Sentí el desnudo horror que sufrió toda esa gente, al comprender que se le apagaba la vida. Experimenté el dolor de sus familias al descubrir que habían perdido a sus seres amados de modo tan trágico. En muchos casos padecí incluso la pérdida que su ausencia representaría para las generaciones futuras.

En total, en el sudeste asiático contribuí a la muerte de decenas de personas; revivirlas todas fue penoso. La única gracia salvadora fue que por entonces creía estar actuando bien. Mataba en el nombre del patriotismo, lo cual menguaba los horrores cometidos.

Cuando retorné a Estados Unidos, terminada mi misión militar, continué trabajando para el gobierno en operaciones clandestinas. Esto involucraba, sobre todo, el transporte de armas a pueblos y países aliados de Estados Unidos. A veces se me indicaba incluso que adiestrara a esas personas en las bellas artes del disparo con mira telescópica y la demolición.

Ahora, en la revisión de mi vida, fui obligado a ver la muerte y la destrucción que se habían producido en el mundo como resultado de mis actos. "Todos somos un eslabón en la gran cadena de la humanidad", dijo el Ser. "Lo que tú haces tiene efecto en los otros eslabones de la cadena."

Me vinieron a la mente muchos ejemplos de eso, pero sobresale uno en especial. Me vi descargando armas en un país de América Central; debían ser utilizadas para librar una guerra respaldada por nuestro país contra la Unión Soviética.

Mi tarea consistía, simplemente, en transferir esas armas de un avión a nuestras instalaciones militares de la zona. Terminado este traslado, subí nuevamente al avión y partí.

Pero en la revisión de mi vida partir no fue tan fácil. Permanecí junto a las armas y vi cómo se las distribuía en una avanzada militar. Luego las acompañé mientras se las utilizaba para matar a personas inocentes y a otras que no lo eran tanto. En total fue horrible presenciar los resultados de mi papel en esa guerra.

Ese traslado de armas a América Central fue el último trabajo en el que participé antes de ser alcanzado por el rayo. Recuerdo haber visto llorar a los niños al enterarse de que los padres habían muerto; yo sabía que todas esas muertes se debían a las armas que yo había entregado.

Por fin pasó. La revisión había terminado.

Cuando acabó el repaso, llegué a un punto de reflexión en el que pude contemplar todo lo que había presenciado y llegar a una conclusión. Me sentí avergonzado. Comprendí que había llevado una vida muy egoísta; rara vez ofrecí ayuda a nadie. Casi nunca sonreí como muestra de amor fraternal ni di una moneda a alguien que estuviera en la mala. No: había vivido sólo para mí, sin que me importara un bledo de mi prójimo.

Miré al Ser de Luz con una profunda sensación de pesar y vergüenza. Esperaba un regaño, alguna especie de coscorrón cósmico aplicado a mi alma. Había repasado mi vida y lo que veía era una persona realmente indigna. ¿Qué otra cosa merecía sino un regaño?

Mientras contemplaba al Ser de Luz sentí que me estaba tocando. De ese contacto me llegó un amor y un gozo que sólo puedo comparar a la compasión sin críticas de un abuelo por su nieto. "Lo que tú eres es la diferencia que Dios marca", dijo el Ser. "Y esa diferencia es el amor." No hubo palabras reales, pero ese pensamiento me fue comunicado por alguna forma de telepatía. Hasta el día de hoy no estoy seguro del significado exacto de esta críptica frase. Sin embargo, eso fue lo que dijo.

Una vez más se me permitió un período de reflexión. ¿Cuánto amor había dado a la gente? ¿Cuánto amor había recibido de ella? Por la reciente revisión comprendía que, por cada hecho bueno de mi vida, había veinte malos para compensarlo. Si la culpa fuera grasa, yo tenía como para pesar doscientos cincuenta kilos.

Mientras el Ser de Luz se alejaba, sentí que se me quitaba el peso de esa culpa. Había palpado el dolor y la angustia de la reflexión, pero de eso obtenía un conocimiento que podría utilizar para corregir mi vida. Oí el mensaje del Ser en mi cabeza, como por telepatía: "Los humanos son poderosos seres espirituales, destinados a crear el bien en la tierra. Este bien no suele lograrse por acciones audaces, sino en actos singulares de bondad entre las personas. Son las cosas pequeñas las que cuentan, porque son más espontáneas y demuestran lo que realmente eres."

Me regocijé. Ahora conocía el sencillo secreto para mejorar la humanidad. La cantidad de amor y buenos sentimientos que se tienen al llegar el final de la vida es equivalente al amor y los buenos sentimientos que se hayan ofrecido durante la vida. Así de simple era.

Fue entonces cuando comprendí que no regresaría. No tenía más vida que vivir. Había sido fulminado por un rayo. Estaba muerto.

3

"Ha muerto"

Más tarde supe que la escena, en la ambulancia, era caótica. La comunicación por radio con el hospital continuaba, con los sollozos de Sandy como telón de fondo. El técnico médico repetía sus heroicos esfuerzos, pese a los datos del monitor cardíaco, que mostraba una línea plana. El conductor de la ambulancia mantenía el acelerador a fondo y las luces parpadeando, porque eso era lo que debía hacer, estuviera su pasajero vivo o muerto.

Médicos y enfermeras esperaban a la ambulancia ante la sala de emergencias. El equipo médico me sacó de la ambulancia para llevarme a la sala de emergencias. Con la eficiencia de quien ha ejecutado el mismo trabajo cientos de veces, iniciaron los esfuerzos de resucitación en mi cuerpo. Uno de los médicos subió a la camilla y comenzó a bombearme el pecho, mientras una enfermera me introducía un tubo plástico por la garganta y comenzaba a insuflar aire. Otro médico me clavó una larga aguja en el pecho e inyectó toda una jeringa de adrenalina.

Aun así no hubo reacción.

Los médicos insistieron. Se me aplicaron conductores eléctricos en el pecho, para sacudir con descargas el corazón. Nuevos masajes cardíacos me hicieron crujir las costillas.

—¡Vuelve, Dannion, vuelve! —me gritó una enfermera al oído.

No ocurría nada. El monitor cardíaco seguía plano y no había un solo movimiento en todo el cuerpo.

—No resistió —dijo el médico que me atendía. Me cubrió la cara con una sábana y salió de la habitación para sentarse. Una enfermera llamó a la morgue; me llevaron por un pasillo para dejarme junto al ascensor. Allí debería permanecer hasta que los encargados de la morgue subieran desde el sótano y se llevaran mi cadáver.

Con el agotamiento y la desilusión pintados en la cara, el médico pasó a la sala de espera para informar a Sandy y a Tom lo que ya sabían.

—No reaccionó —dijo.

Tanto Sandy como Tom se echaron a llorar.

Yo no vi nada de todo esto. Lo supe por Tom, más adelante. Como el médico había dicho, estaba muerto.

4

La ciudad de cristal

"¿Qué ocurre ahora que he muerto?", me pregunté. "¿Adónde voy?"

Miré al bello Ser de Luz que reverberaba delante de mí. Era como una bolsa llena de diamantes que emitieran una sedante luz de amor. Cualquier temor que pudiera haber tenido ante la idea de estar muerto se aplacó ante el amor que brotaba de ese Ser. Su capacidad de perdón era notable. Pese a la horrible vida que acabábamos de presenciar, de él llegaba a mí un perdón profundo y significativo. En vez de emitir duras críticas, el Ser de Luz era un consejero amistoso, que me permitía sentir por mí mismo el dolor y el placer que había brindado a otros. En vez de sentir vergüenza y angustia, me encontraba bañado en el amor que me abrazaba a través de la luz y no tenía nada que dar a cambio.

Pero había muerto. ¿Qué pasaría ahora? Deposité mi confianza en el Ser de Luz.

Comenzamos a ascender. Oí un zumbido, según mi cuerpo empezaba a vibrar a mayor velocidad. Pasamos de un plano al siguiente, tal como un avión que ascendiera suavemente por el cielo. Nos vimos rodeados por una niebla brillante, fresca y densa como la del océano.

A nuestro alrededor vi campos de energía que parecían prismas de luz. Parte de esa energía corría bajo la forma de grandes ríos, mientras que otros se perdían como diminutos arroyos. Vi que también formaba lagos y pequeños estanques. (Desde cerca eran, obviamente, campos de energía, pero a la distancia parecían ríos y lagos, tal como se los ve desde un avión.)

A través de la neblina vi montañas del color del terciopelo azul intenso. No había en esa cordillera picos agudos ni laderas escarpadas. Las montañas eran suaves, de cumbres redondeadas y lozanas grietas de un azul más intenso.

En la ladera había luces. A través de la neblina parecían casas que fueran encendiendo las lámparas en el anochecer. Eran muchas; por la forma en que descendíamos y acelerábamos, comprendí que nos dirigíamos hacia ellas. Al principio avanzamos rumbo al costado derecho de esa cordillera, que era enorme. Luego nos ladeamos hacia la izquierda y nos dirigimos de prisa hacia el lado más corto.

"¿Cómo me estoy moviendo?", me pregunté, mirando el paisaje celestial que teníamos abajo. Flotábamos como siempre imaginé que lo harían los ángeles, despegándonos del suelo para volar. Luego mis pensamientos tomaron un giro filosófico. "¿Me estoy moviendo de verdad o esto es sólo un viaje dentro de mi cuerpo muerto?" Antes de aterrizar insistí en preguntar al Ser dónde estaba y cómo había llegado allí, pero él no respondía. Cuando yo presioné para obtener respuesta no logré ninguna; aun así no me sentía insatisfecho. Mientras yo pensaba y pensaba, el Ser se henchía y me proporcionaba consuelo con su poderío. Aun sin las respuestas que tan desesperadamente deseaba, me sentía tranquilo gracias al poder que palpitaba a mi alrededor. "Dondequiera esté, aquí no hay nada que pueda hacerme daño", me decía. Y descansaba en presencia del Ser.

Como aves sin alas, entramos raudamente en una ciudad de catedrales. Estas catedrales estaban hechas por entero de una sustancia cristalina que relumbraba con una potente luz interior. Nos detuvimos ante una de ellas. Junto a esa obra maestra de la arquitectura me sentí pequeño e insignificante. "Obviamente, esto ha sido construido por los ángeles para demostrar la grandeza de Dios", pensé. Tenía capiteles tan altos y ahusados como las grandes catedrales de Francia, y muros tan gruesos como los del Tabernáculo Mormón de Salt Lake City. Las paredes estaban hechas de grandes ladrillos de vidrio que relumbraban por dentro. Estas estructuras no estaban relacionadas con ninguna religión en particular: eran monumentos a la gloria de Dios.

Me sentí sobrecogido. Ese lugar tenía un poder que parecía palpitar en el aire. Supe que me encontraba en un sitio de aprendizaje. No estaba allí para presenciar mi vida o para ver qué valor había tenido. Estaba allí para recibir instrucción. Miré al Ser de Luz y pensé una pregunta: "¿Esto es el paraíso?" No recibí respuesta. En cambio continuamos adelante, por una espléndida acera, hasta cruzar refulgentes portales de cristal.

Cuando entramos en la estructura, el Ser de Luz ya no estaba conmigo. Lo busqué con la vista sin ver a nadie. En la sala había bancos alineados; esa luz radiante hacía que todo refulgiera y pareciera amor. Me senté en uno de los bancos, buscando a mi guía espiritual. Encontrarme solo en ese lugar extraño y glorioso me hacía sentir algo incómodo. Allí no se veía a nadie pero yo tenía la fuerte sensación de que los bancos estaban colmados de gente como yo: seres espirituales que estaban allí por primera vez, intrigados por lo que veían. Miré otra vez, a derecha e izquierda, pero seguía sin ver a nadie. "Aquí hay seres", me dije. "Sé que están aquí." Continué mirando en torno de mí, pero aún no se materializaba nadie.

El lugar me hacía pensar en una magnífica sala de lectura. Los bancos estaban distribuidos de modo tal que las personas sentadas en ellos quedaban frente a un largo podio, que relumbraba como cuarzo blanco. Detrás de ese podio, la pared era un espectacular tiovivo de colores que iban desde los tonos pastel a los de neón intenso. Su belleza era hipnótica. Observé los colores que se mezclaban y fundían, ondulando y palpitando como lo hace el océano cuando uno está en alta mar y mira hacia lo profundo.

Estaba seguro de que me rodeaban espíritus nuevos, pero ya sabía por qué no podía verlos. "Si pudiéramos vernos mutuamente no prestaríamos toda nuestra atención al podio. Allí arriba está por suceder algo", pensé.

Un instante después el espacio detrás del podio se llenó de Seres de Luz. Estaban frente a los bancos donde yo me había sentado e irradiaban un fulgor a un tiempo amable y sabio.

Me recliné en el banco, esperando. Lo que ocurrió a continuación fue la parte más asombrosa de mi viaje espiritual.

5

Las cajas del conocimiento

Pude contar a los Seres que estaban de pie tras el podio. Había trece, hombro contra hombro, a lo ancho de todo el estrado. Supe algunas otras cosas sobre ellos, probablemente por algún tipo de telepatía. Cada uno de ellos representaba una de las diferentes características emocionales y psicológicas que tenemos todos los seres humanos. Por ejemplo: uno de esos Seres era apasionado; otro, artístico y emotivo. Uno era audaz y enérgico; otro posesivo y leal. En términos humanos, era como si cada uno representara un signo zodiacal diferente. En términos espirituales, esos Seres iban mucho más allá de los signos del Zodíaco. Emanaban esas emociones de una manera tal que yo podía sentirlas.

Más que nunca tuve la certeza de que me hallaba en un sitio para el aprendizaje. Me sumergirían en conocimiento, me enseñarían como nunca se me había enseñado. No habría libros ni memorización. En presencia de esos Seres de Luz, yo me convertiría en conocimiento; sabría todo lo que fuera importante saber. Podía formular cualquier pregunta y saber la respuesta. Era como ser una gota de agua bañada en el conocimiento del océano, un rayo de luz que supiera lo que sabe toda la luz.

Me bastaba con pensar una pregunta para explorar la esencia de la respuesta. En una fracción de segundo comprendí cómo funciona la luz, de qué modo se incorpora el espíritu a la vida física, por qué la gente puede pensar y actuar de tantas maneras diferentes. "Pregunta y percibirás": así puedo resumirlo.

Estos Seres de Luz eran diferentes del que me había salido al encuentro a mi muerte. Tenían el mismo resplandor azul plateado del primero, pero con una luz azul intenso que refulgía desde adentro. Este color llevaba consigo una gran sensación de poderío y parecía brotar de la misma fuente que origina rasgos tales como el heroísmo. Jamás he vuelto a ver ese color, pero parecía significar que esos Seres estaban entre los más grandes de su clase. Me sentí tan sobrecogido y orgulloso de estar en su presencia como si me encontrara con Juana de Arco o George Washington.

Los seres se me acercaron, de a uno por vez. Cuando cada uno de ellos se aproximaba, de su pecho surgía una caja del tamaño de un videotape que se ampliaba ante mi cara.

La primera vez que esto ocurrió di un respingo, pensando que iba a golpearme. Pero un momento antes del impacto la caja se abrió, revelando lo que parecía ser una pequeña imagen televisada de un suceso mundial que aún estaba por ocurrir. Mientras la observaba me sentí arrastrado hacia el interior de la imagen, donde pude vivir el acontecimiento. Esto ocurrió doce veces; por doce veces estuve en medio de muchos sucesos que sacudirían al mundo en el futuro.

Por entonces ignoraba que eran hechos futuros. Sólo tenía conciencia de estar viendo cosas de gran importancia, que se me presentaban con la claridad del informativo nocturno, con una gran diferencia: se me arrastraba al interior de la pantalla.

Mucho después, al regresar a la vida, anoté ciento diecisiete acontecimientos que presencié en las cajas. Por tres años no ocurrió nada. Por fin, en 1978, los sucesos que había visto en las cajas comenzaron a hacerse realidad. En los dieciocho años transcurridos desde que morí y fui a ese sitio, se han producido noventa y cinco de esos hechos.

Ese día, 17 de septiembre de 1975, el futuro se me presentó de a caja por vez.

CAJAS UNA A TRES:
VISIONES DE UN PAIS DESMORALIZADO

Las cajas uno, dos y tres mostraban el humor de Norteamérica como consecuencia de la guerra en el sudeste asiático. Revelaban escenas de pérdida espiritual en nuestro país que eran productos secundarios de esa guerra, que debilitó la estructura de América y con el correr del tiempo, del mundo entero.

Las escenas mostraban a prisioneros de guerra, débiles y enflaquecidos por el hambre, que esperaban en las prisiones de Vietnam del Norte a que los embajadores estadounidenses acudieran a liberarlos. Pude sentir su miedo y su posterior desesperación, según iban comprendiendo, uno a uno, que no llegaría ayuda alguna, que vivirían sus años restantes como esclavos en prisiones de la selva. Eran los DEA, militares considerados "desaparecidos en acción".

De los DEA se hablaba ya en 1975, pero las visiones los utilizaron como punto de partida para mostrar una Norteamérica que se deslizaba hacia la declinación espiritual.

Vi que América caía en una deuda enorme. Esto se

41

me presentó como escenas de una habitación en la que entraba mucho menos dinero del que salía. Por medio de algún tipo de telepatía, comprendí que ese dinero representaba el aumento de la deuda nacional y que anunciaba peligros para más adelante. También vi a gente que formaba largas filas para obtener cosas básicas para la vida, como ropa y alimentos.

De las dos primeras cajas surgieron también muchas escenas de hambre espiritual. Vi a personas transparentes, como para revelar que estaban vacías. Ese vacío, según se me explicó telepáticamente, era consecuencia de una pérdida de fe en Estados Unidos y lo que la nación representaba. La guerra del sudeste asiático se había combinado con la inflación y la desconfianza hacia el gobierno para crear un vacío espiritual. Ese vacío aumentaba por nuestra pérdida de amor a Dios.

Esta depravación espiritual desembocó en una serie de visiones horrorosas: disturbios y saqueos causados por personas que deseaban más bienes materiales de los que poseían, niños que disparaban contra otros niños con fusiles de alta precisión, criminales que robaban autos, jóvenes que disparaban contra otros jóvenes desde la ventanilla de sus autos. Escenas como esas se desarrollaron ante mí como salidas de una película de pistoleros.

Casi todos los delincuentes eran niños o adolescentes de los que nadie se ocupaba. Al ver imagen tras imagen, comprendí con dolorosa claridad que esos niños no tenían una unidad familiar y, como resultado, estaban actuando como lobos.

Me sentí confundido pues no podía imaginar cómo se podía dejar a los niños norteamericanos librados al asesinato y la vagancia. Me pregunté si no tenían padres que los guiaran. ¿Cómo podía ocurrir una cosa así en nuestro país?

En la tercera caja me encontré frente al sello presidencial de EE.UU. No sé dónde estaba, pero vi las iniciales RR grabadas bajo este sello. Luego me vi de pie entre periódicos, mirando sus caricaturas editoriales. Una tras otra mostraban a un vaquero. Cabalgaba por la llanura y mataba a los malos en las tabernas. Esta visión estaba festoneada de ilustraciones satíricas tomadas de periódicos de todo el país, como el *Boston Globe*, el *Chicago Tribune* y *Los Angeles Times*. Las fechas de los diarios iban de 1983 a 1987; por el carácter de los dibujos era evidente que se referían al presidente de EE.UU, que proyectaba hacia el resto del mundo la imagen de un vaquero.

También comprendí que el hombre de esas caricaturas era actor, porque todas tenían un aspecto teatral. Una de ellas se refería a "Butch Cassidy y el Sundance Kid"; utilizaba la famosa escena de esa película, en la que dos forajidos saltan desde un barranco a un estanque de poca profundidad. Sin embargo, pese a lo vívido de esos recortes, yo no podía ver la cara bajo el sombrero. Ahora sé que RR significaba Ronald Reagan, pero por entonces no tenía idea de quién era el "vaquero". Pocos meses después, mientras recordaba estas visiones para el doctor Raymond Moody, el célebre psiquiatra e investigador de las experiencias de muerte clínica, él me preguntó quién podía ser RR. Sin vacilar, respondí: "Robert Redford." Jamás me ha permitido olvidar ese error y me lo recuerda con pullas cada vez que nos encontramos.

CAJAS CUATRO Y CINCO:
CONTIENDAS Y ODIO EN TIERRA SANTA

Las cajas cuatro y cinco contenían escenas del Medio Oriente, expresando que esta zona de eternas contiendas llegaría a un punto de ebullición. La religión desempeñaría un papel importante en esos problemas; igual que la economía. La constante necesidad de dinero exterior fomentaba gran parte del odio y la cólera que vi en esas cajas.

En la primera vi que se producían dos acuerdos.

Primero, los israelitas y los árabes acordaban algo, pero no comprendí con claridad qué.

Al segundo pude verlo en más detalle. Había hombres que se estrechaban la mano y se hablaba mucho de un nuevo país. Luego vi una superposición de imágenes: el río Jordán, un asentamiento de Israel que se extendía hacia Jordania y un mapa donde el país de Jordania estaba cambiando de color. Mientras se desplegaba ese desconcertante *collage*, oí que un ser me hablaba telepáticamente, diciendo que el país de Jordania dejaría de existir. No oí el nombre del nuevo país.

El acuerdo era sólo una fachada de los israelitas para crear una fuerza policial compuesta de árabes e israelíes. Se trataba de una fuerza policial muy dura, cruel e inflexible. Vi a sus miembros vistiendo uniformes de color azul y plata; trataban con mucho rigor a la gente de esa región. Con tanto rigor, en verdad, que los líderes mundiales comenzaron a criticar duramente a Israel. Muchos colaboradores de ambos bandos vigilaban a su propio pueblo e informaban de sus actividades a la fuerza policial. Esto sirvió para que todo el mundo desconfiara, haciendo desaparecer la confianza en esas sociedades.

Vi que Israel quedaba aislado del resto del mundo. Al empeorar las cosas hubo imágenes de Israel preparándose para librar la guerra contra otros países, incluidos Rusia y un consorcio chino-árabe. De algún modo, Jerusalén estaba en el centro de este conflicto, pero no sé con exactitud cómo. Por los titulares periodísticos que aparecían en la visión, vi que algún incidente en la ciudad santa había servido para provocar esa guerra.

Estas visiones revelaban a Israel como espiritualmente vacía. Tuve la sensación de que tenía un gobierno fuerte, pero moral débil. Se sucedieron imágenes de israelitas que reaccionaban con odio hacia los palestinos y otros árabes; me inundaba la sensación de que esos pueblos, como nación, habían olvidado a Dios y estaban impulsados ahora por el odio racial.

La quinta caja mostraba el petróleo utilizado como arma para dominar la economía internacional. Vi imágenes de la Meca y luego del pueblo saudita. Mientras estas imágenes corrían delante de mí, una voz telepática dijo que se estaba reduciendo la producción de petróleo para destruir la economía etadounidense y para obtener dinero de la economía mundial. El precio del petróleo subía constantemente, dijo la voz, y Arabia Saudita se aliaba con Siria y China. Vi a los pueblos árabes y orientales estrecharse la mano y firmar acuerdos. Al presentarse esas imágenes sentí que los sauditas estaban dando dinero a países asiáticos como Corea del Norte, todo con la esperanza de desestabilizar la economía de la región asiática.

Me pregunté dónde se iniciaba esa alianza y pude ver un primer plano de sirios y chinos firmando papeles y dándose la mano en un edificio que, según supe, estaba en Siria. La fecha que se me presentó fue 1992.

Se presentó otra fecha: 1993, y con ella imágenes de científicos sirios y chinos que trabajaban en laboratorios para crear un misil capaz de portar armas químicas y biológicas. Las armas nucleares se estaban convirtiendo en cosa del pasado; esos países querían desarrollar nuevas armas de destrucción.

Las cajas seguían llegando.

CAJA SEIS:
VISIONES DE DESTRUCCION NUCLEAR

La número seis era terrorífica. Una vez dentro de la caja, me encontré en una zona fresca y boscosa, junto a un río. A la orilla del río había una gran estructura de cemento, cuadrada y sombría. Tuve miedo sin saber por qué. De pronto la tierra se estremeció y vi volar la parte superior de esa estructura de cemento. Comprendí que era una explosión nuclear y sentí que cientos de personas morían a mi alrededor. Por telepatía se me anunció el año 1986, junto con la palabra "carcoma". Sólo una década después, cuando estalló la planta nuclear de Chernobyl, cerca de Kiev, en la Unión Soviética, pude asociar estas imágenes con un hecho. Fue entonces cuando hice otra asociación entre la visión de esa caja y el desastre nuclear de la URSS. La palabra "Chernobyl" significa "carcoma" en ruso.

En la caja aparecía un segundo accidente nuclear, en un mar del norte tan contaminado que ningún barco podía viajar por allí. El agua era de color rojo pálido y estaba cubierta de peces muertos o moribundos. Alrededor había cumbres y valles que me hicieron pensar en un fiordo, como los de Noruega. No sabía dónde estaba, pero sí que el mundo se sentía atemorizado por lo ocurrido, pues la radiación de ese accidente podía esparcirse por doquier y afectar a toda la humanidad. La fecha de esa imagen era 1995.

La visión no se interrumpió allí. Como resultado de esas catástrofes nucleares la gente moría o quedaba deformada. En una serie de imágenes que parecían de televisión, vi a víctimas del cáncer y a bebés mutantes de Rusia, Noruega, Suecia y Finlandia; no eran cientos, sino decenas de millares, en una amplia variedad de deformidades que se prolongaban por generaciones enteras. Los venenos liberados por estos accidentes llegaban al resto del mundo a través del agua, contaminada para siempre por ese desperdicio nuclear. El Ser dejó en claro que los humanos habían creado un horrible poder, imposible de contener. Al dejar que ese poder se les escapara de las manos, los soviéticos habían destruido su propio país y, posiblemente, el mundo entero.

La caja me mostró el miedo que la gente sentía como resultado de esos accidentes nucleares. Al desarrollarse las imágenes de ese miedo, comprendí de algún modo que el ambientalismo surgiría como la nueva religión del mundo. La gente consideraría que un ambiente limpio era la clave de la salvación, más que nunca antes. Surgirían partidos políticos dedicados al tema de un planeta más limpio; se ganarían y perderían fortunas sobre la base de los sentimientos provocados por el medio.

Desde Chernobyl y ese segundo accidente vi que la Unión Soviética se marchitaba y moría; el pueblo perdía la fe en su gobierno y el gobierno perdía su dominio del pueblo.

La economía desempeñaba un papel importante en estas visiones. Vi a personas que entraban en las tiendas con bolsas llenas de dinero y salían con pequeños paquetes de provisiones. Otros, vistiendo uniforme militar, vagaban por las calles de las ciudades soviéticas mendigando comida; otros morían de hambre, obviamente. La gente comía manzanas y patatas podridas; las multitudes asaltaban los camiones cargados de alimentos.

Apareció la palabra "Georgia" en caracteres cirílicos; vi desarrollarse en Moscú una mafia que, supongo, provenía del estado de Georgia, en la Unión Soviética. Esta mafia era una potencia creciente, en competencia con el gobierno ruso. Escena tras escena, los miembros de la mafia operaban libremente en una ciudad que creo era Moscú.

No me dio ninguna alegría ver el derrumbe de la Unión Soviética. Aunque el comunismo ruso moría ante mis ojos, el Ser de Luz me estaba diciendo que ese no era un momento de gloria, sino de cautela. "Observa a la Unión Soviética", dijo. "Así como marche el pueblo ruso, así marcha el mundo. Lo que le ocurra a Rusia es la base para todo lo que le ocurrirá a la economía del mundo libre."

CAJA SIETE:
LA RELIGION AMBIENTAL

La séptima caja contenía poderosas imágenes de destrucción ambiental. Vi zonas del mundo que irradiaban energía, relumbrando como un reloj de radio en la oscuridad. Voces telepáticas me anunciaron la necesidad de limpiar el medio.

Estas voces provenían primero de Rusia, pero luego los acentos cambiaron; noté que emanaban de América del Sur, probablemente de Uruguay o Paraguay.

Vi que el locutor de Rusia hablaba con celo de nuestra necesidad de curar el medio. La gente se agolpaba rápidamente a su alrededor; pronto fue tan poderoso que llegó a ser uno de los líderes de las Naciones Unidas. Vi a este ruso montado en un caballo blanco y comprendí que su ascenso se produciría antes del año 2000.

CAJAS OCHO Y NUEVE:
CHINA BATALLA CONTRA RUSIA

En las cajas ocho y nueve había visiones de la creciente irritación de la China contra la Unión Soviética. Cuando se produjeron estas visiones, en 1975, yo ignoraba que la Unión Soviética se desmembraría. Ahora pienso que la tensión revelada por esas visiones era resultado de la muerte del comunismo soviético, que dejaba a los chinos como líderes del mundo comunista.

Por entonces las visiones me parecieron desconcertantes. Vi disputas fronterizas y fuertes combates entre los ejércitos soviético y chino. Por fin, los chinos agolparon a sus ejércitos en la frontera y penetraron en la región.

La batalla principal fue por un ferrocarril, del que los chinos se apoderaron tras arduo combate. Luego se adentraron en la Unión Soviética, cortando el país por la mitad y tomando los campos petrolíferos de Siberia. Vi nieve, sangre y petróleo; supe que la pérdida de vidas era numerosa.

CAJAS DIEZ Y ONCE:
TERREMOTOS ECONOMICOS, TORMENTA
EN EL DESIERTO

Las cajas diez y once llegaron en rápida sucesión. Revelaban escenas del colapso económico del mundo. En términos generales, estas visiones mostraban un mundo hundido en horrible confusión por el cambio de siglo, acabando en un nuevo orden mundial que, en verdad, era un orden de feudalismo y contiendas.

En una de las visiones la gente formaba filas para sacar dinero de los bancos. En otra, los bancos eran cerrados por orden del gobierno. La voz que acompañaba a las visiones me dijo que eso sucedería en la década de 1990 y marcaría el comienzo de una contienda económica conducente a la bancarrota de Norteamérica hacia el año 2000.

La caja mostraba imágenes de dólares que volaban mientras la gente cargaba gasolina, con expresión afligida. Esto significaba que los precios del petróleo estaban ascendiendo sin control.

Vi a trece nuevas naciones que entraban en el mercado mundial hacia fines de la década. Eran países cuya capacidad industrial las ponía en un pie de competencia con Estados Unidos. Uno a uno, los mercados europeos comenzaron a tratar con esos países, lo cual debilitó aun más la economía norteamericana. Todo eso llevó a una economía muy debilitada.

Pero el final de Norteamérica como potencia mundial llegó bajo la forma de dos horrendos terremotos que balancearon y derribaron los edificios como si fueran cubos de madera. Comprendí que esos terremotos se pro-

49

ducían algo antes de terminar el siglo, pero no pude determinar dónde. Recuerdo haber visto una gran masa de agua, probablemente un río.

El costo de reconstruir las ciudades destruidas sería el peso final para el gobierno, ya tan quebrado en lo financiero que apenas podía mantenerse con vida. La voz de la visión me lo dijo mientras la caja mostraba filas de norteamericanos hambrientos que esperaban recibir comida.

Al final de la caja diez había imágenes de guerra en el desierto, un gran despliegue de poderío militar. Vi ejércitos corriendo uno hacia el otro en el desierto, con grandes nubes de polvo detrás de los tanques que cruzaban el territorio yermo. Había fuego de cañones y explosiones que parecían rayos. La tierra tembló; luego hubo silencio. Como un pájaro, volé sobre hectáreas enteras de equipos militares destrozados.

Al salir de la caja me vino a la mente la fecha 1990. Ese fue el año de Tormenta del Desierto, la operación militar que aplastó al ejército de Irak por haber ocupado a Kuwait.

La caja once se iniciaba con Irán e Irak en posesión de armas químicas y nucleares. Este arsenal incluía un submarino cargado de misiles nucleares. El año, según dijo una voz en la visión, era 1993.

Vi este submarino avanzando por las aguas del Medio Oriente y supe que sus pilotos eran iraníes. Comprendí que su propósito era interrumpir los embarques de petróleo desde el Oriente Medio. En sus discursos alababan tanto a Dios que tuve la sensación de estar ante algún tipo de misión religiosa.

Los misiles que ocuparon el desierto del Medio Oriente estaban equipados con cabezas de combate químicas. No sé adónde estaban apuntados, pero sí que había temor mundial por las intenciones de las naciones árabes que los poseían.

La guerra química jugaba cierto papel en una horrible visión de terrorismo que se produce en Francia antes del año 2000. Se inicia cuando los franceses publican un libro que enfurece al mundo árabe. No conozco el título de este libro, pero el resultado de su publicación es un ataque químico lanzado por los árabes contra una ciudad de Francia. Se coloca un producto en la provisión de agua; miles de personas lo beben y mueren antes de que se lo pueda eliminar.

En una breve visión vi a los egipcios desmandados en las calles, mientras una voz me decía que, hacia 1997, Egipto se derrumbaría como democracia y sería tomado por fanáticos religiosos.

Las últimas visiones de la caja once eran como muchas de las imágenes que ahora vemos de Sarajevo: ciudades modernas derrumbándose bajo el peso de la guerra, mientras sus habitantes combaten entre sí por motivos que van desde el racismo al conflicto religioso. Vi muchas ciudades de todo el mundo donde la gente, desesperada, comía a sus propios muertos.

En una de esas escenas, un grupo de europeos, en una región montañosa, sollozaba mientras cocinaba carne humana. En rápida sucesión vi a personas de las cinco razas comiéndose a sus congéneres.

CAJA DOCE:
TECNOLOGIA Y VIRUS

La undécima caja desapareció y me encontré en la duodécima. Sus visiones se referían a un hecho importante del futuro lejano, la década de 1990 (recordemos que esto sucedía en 1975), en que se producirían muchos de los grandes cambios.

En esta caja vi que un ingeniero en biología del Medio Oriente descubría un modo de alterar el ADN y crear un virus biológico que se pudiera usar en la fabricación de chips de computadora. Este descubrimiento permitió que la ciencia y la tecnología avanzaran a grandes pasos. El Japón, la China y otros países del Anillo del Pacífico experimentaron tiempos de gran éxito como resultado de este hallazgo y se convirtieron en potencias de increíble magnitud. Los chips de computadora producidos de este modo pasaron a integrar prácticamente todas las formas de la tecnología, desde autos y aviones hasta licuadoras y aspiradoras.

Antes de que terminara el siglo, este hombre figuraba entre los más ricos del mundo, a tal punto que tenía en un puño a la economía mundial. Aun así el mundo le estaba agradecido, puesto que los chips inventados por él ponían al planeta en un pie de igualdad.

Gradualmente el ingeniero sucumbió a su propio poder. Comenzó a considerarse una deidad e insistió en ejercer un mayor control sobre el mundo. Con ese mayor control comenzó a mandar sobre todo el planeta.

Su método de gobierno era único. Todos los habitantes del mundo estaban obligados, por ley, a aceptar que se les insertara bajo la piel uno de sus chips. Ese chip contenía toda la información personal del individuo. Si un organismo de gobierno quería saber algo, le bastaba con leer el chip mediante un dispositivo especial. De ese modo se podía saberlo todo sobre una persona: desde su domicilio y el lugar donde trabajaba hasta su historial clínico y hasta el tipo de enfermedades que podía contraer en el futuro.

Pero ese chip tenía un aspecto aun más siniestro. Permitía limitar la vida de una persona, programándolo de modo que disolviera y matara a su portador con la sustancia virósica de la que estaba compuesto. Así se controlaba la vida para evitar el costo que el envejecer carga sobre el gobierno. También se utilizaba para eliminar a los enfermos crónicos que sobrecargaban el sistema médico.

Las personas que se negaban a dejarse implantar esos chips en el cuerpo se convertían en descastados. No se les podía dar empleo y se les negaban los servicios estatales.

LAS ULTIMAS VISIONES

Como final se produjo una decimotercera visión. No sé de dónde salió. No vi a ningún Ser de Luz que la trajera en una caja o se la llevara. Esta visión era, en muchos sentidos, la más importante de todas, pues resumía todo cuanto había visto en las doce cajas. Mediante la telepatía oí que un Ser decía: "Si seguís las enseñanzas que se os han dado y continuáis viviendo como en los últimos treinta años, todo esto caerá con certeza sobre vosotros. Si cambiáis podéis evitar la guerra venidera."

Este mensaje vino acompañado de escenas de una horrible guerra mundial. A medida que las visiones aparecían en la pantalla, el ser me dijo que el período 1994-1996 sería crítico en cuanto a determinar si esta guerra estallaría o no. "Si seguís este dogma, hacia 2004 el mundo no será el mismo que ahora conocéis", dijo el Ser. "Pero eso aún se puede cambiar y tú puedes ayudar a cambiarlo."

Ante mí surgieron a la vida escenas de la Tercera Guerra Mundial. Yo estaba en cien sitios al mismo tiempo, desiertos y selvas, y veía un mundo lleno de combates y caos. De algún modo era obvio que esa guerra final (un Armagedón, podría decirse) estaba provocado por el miedo. En una de las visiones más desconcertantes de todas, vi a un ejército de mujeres cubiertas con túnicas y velos negros, que marchaban a través de una ciudad europea.

—El miedo que sienten estas personas es innecesario —dijo el Ser de Luz—. Pero es un miedo tan grande que los humanos renunciarán a todas sus libertades en aras de la seguridad.

También vi escenas que no eran de guerra, incluyendo muchas visiones de desastres naturales. En zonas del mundo que antes habían sido fértiles sembrados de trigo y maíz, vi desiertos recocidos y campos que descorazonaban por completo a los agricultores. En otras partes del mundo, lluvias torrenciales habían socavado la tierra, devorando la capa fértil y creando ríos de lodo denso y oscuro.

En esta visión la gente pasaba hambre. Se mendigaba en las calles, alargando escudillas, tazas y hasta las palmas ahuecadas, con la esperanza de que alguien les ofreciera un mendrugo. En algunas de las imágenes, la gente había renunciado o estaba tan débil que, en vez de mendigar, se acurrucaba en el suelo esperando la bendición de la muerte.

Vi que estallaban guerras civiles en América Central y del Sur; antes del año 2000 había gobiernos socialistas en todos esos países. Al intensificarse esas guerras, millones de refugiados cruzaban la frontera hacia EE.UU., buscando una vida nueva en América del Norte. Nada de cuanto hacíamos podía detener a esos inmigrantes. Los impulsaba el miedo a la muerte y la pérdida de fe en Dios.

Vi a millones de personas que se volcaban al norte, saliendo de El Salvador y Nicaragua, y otros millones que cruzaban el Río Grande hacia Texas. Eran tantos que fue preciso alinear tropas en la frontera para obligarlos a cruzar nuevamente el río.

Estos refugiados quebraron la economía mexicana, que se derrumbó bajo su peso.

Al terminar estas visiones tuve la asombrosa seguridad de que esos Seres estaban tratando desesperadamente de ayudarnos, no porque fuéramos tan buenas personas, sino porque, sin nuestro progreso espiritual aquí, en la tierra, ellos no podían tener éxito en su mundo. "Los humanos sois los verdaderos héroes", me dijo un Ser. "Quienes vais a la tierra sois héroes y heroínas, pues estáis haciendo algo que ningún otro ser espiritual ha tenido la valentía de hacer: habéis ido a la tierra para crear junto con Dios."

Según se me presentaba cada una de esas cajas, mi mente cavilaba sobre las mismas preguntas, una y otra vez: "¿Por qué me está pasando esto? ¿Qué son las escenas de estas cajas y por qué me las muestran?" No sabía lo que estaba pasando y, pese al conocimiento aparentemente infinito que me habían dado antes, era incapaz de hallar las respuestas a esas preguntas. Estaba viendo el futuro y no sabía por qué.

Después de las últimas visiones, el decimotercer Ser de Luz respondió a mis preguntas. Era más poderoso que los otros, o al menos eso me pareció. Sus colores eran más intensos y los otros Seres parecían tratarlo con deferencia. Su personalidad se revelaba en su luz y abarcaba las emociones de sus compañeros.

Sin palabras, me dijo que cuanto yo acababa de ver estaba en el futuro, pero no necesariamente grabado en piedra. "El flujo de los sucesos humanos se puede cambiar, pero para eso la gente debe saber lo que es", dijo el Ser. Me comunicó nuevamente su convicción de que los humanos éramos Grandes Seres, poderosos y muy espirituales. "Aquí vemos como gran aventurero a todo el que va a la tierra", dijo. "Tuvisteis el coraje de ir a expandir vuestra vida y participar en la gran aventura que Dios creó, lo que llamamos el mundo."

Luego me explicó mi finalidad en la tierra. "Estás allá para crear el capitalismo espiritualista", dijo. "Debes abordar este sistema venidero cambiando los procesos mentales de la gente. Enseña a tu prójimo a confiar en su ser espiritual y no en los gobiernos y las iglesias. La religión es buena, pero no se puede permitir que controle por entero a la gente. Los humanos son poderosos seres espirituales. Sólo necesitan comprender que amar es tratar a otros como ellos desearían ser tratados."

Luego el Ser me hizo saber lo que yo debía hacer cuando volviera a la tierra. Debía crear centros a los que la gente pudiera acudir para reducir la tensión en la existencia. Mediante esa reducción de estrés, dijo el Ser, los humanos llegarían a comprender, "como nosotros", que eran seres espirituales más elevados. Tendrían menos miedo y más amor por el prójimo.

Luego vi una visión de siete cuartos, cada uno un paso del proceso:

- un "cuarto de terapia", en el que la gente se reunía a conversar;
- una clínica de masajes, donde la gente no se limitaría a recibir masajes, sino que se los harían a otros;
- una cámara de privación sensorial, cierto tipo de instalación que permite a la gente relajarse y descender profundamente dentro de sí misma;
- un cuarto equipado con máquinas de biorretroalimentación que permite a la gente ver hasta qué punto puede dominar sus emociones;
- una zona para lectura, en la que quienes poseen facultades psíquicas pueden proporcionar esclarecimiento psicológico personal a los pacientes;
- un cuarto con una cama cuyos componentes musicales producen una relajación tan profunda que la persona puede abandonar realmente el cuerpo;
- una cámara de reflexión, hecha de acero o cobre pulido por adentro, con una forma tal que la persona puesta adentro no pueda ver su propio reflejo. (Visualicé los muros como si estuvieran hechos de acero inoxidable pulido, pero no comprendí el propósito de esa cámara.)

Un octavo componente del proceso es que el sujeto vuelva al cuarto de la cama, donde se lo vuelve a conectar a los instrumentos de biorretroalimentación. Cuando el sujeto entra en una etapa de profunda relajación, se lo guía a un reino espiritual. Los instrumentos lo ayudan a identificar los sentimientos requeridos para alcanzar esos estados de relajación profunda.

—El propósito de todos esos cuartos es demostrar a la gente que puede controlar su vida a través de Dios —dijo el Ser.

Ahora sé que cada una de esas salas representa una forma moderna de cierto oráculo antiguo: los templos de espíritu y misterio tan populares en la antigua Grecia. Por ejemplo: lo que ocurre en la cama es similar a la incubación de sueño que se producía en los templos de Esculapio. La zona de lectura representa el templo de Delfos, donde algunos solían hablar con los espíritus. La cámara de reflexión es el "necromanteum" de Efira, adonde iban los antiguos para ver apariciones de sus seres amados difuntos. (Esto sólo lo descubrí muchos años después, cuando el doctor Raymond Moody, que es doctor en filosofía además de médico, notó cierta relación entre estas salas y los oráculos.)

¿Cómo iba yo a construir estos oráculos modernos? El Ser me dijo que no me preocupara, pues los componentes de todos esos cuartos vendrían a mí y, cuando vinieran, yo los pondría en su sitio. ¿Cómo puede ser?", pensé. "No sé nada de estas cosas. Conozco algo de meditación porque solía practicarla cuando niño, cuando estudiaba karate. Pero de estas cosas no sé lo suficiente como para construir este tipo de instalaciones." "No te preocupes", dijo el Ser. "Todo vendrá a ti."

El Ser llamaba "centros" a estos lugares. Me dijo que crearlos sería mi misión en la tierra. Luego me dijo que era hora de volver a ella.

Yo me resistía al regreso. Ese lugar me gustaba. Llevaba muy poco tiempo allí, pero ya había visto que la libertad de vagar en tantas direcciones era como tener acceso a todo el universo. Después de estar allí, en la tierra me sentiría tan confinado como si viviera en la cabeza de un alfiler. De cualquier modo, no se me permitió elegir.

—Esto es lo que te pedimos. Debes regresar para cumplir con esta misión —dijo el Ser de Luz.

Entonces regresé.

6

El regreso

Abandoné la Ciudad de Cristal esfumándome en una atmósfera de intenso color azul grisáceo. Era el mismo lugar al que había ido en el momento de ser alcanzado por el rayo; por eso supongo que era la barrera que cruzamos al entrar en el mundo espiritual.

Cuando salí de esa atmósfera estaba acostado de espaldas. Lentamente y sin esfuerzo pude girar y, al hacerlo, vi que estaba flotando por encima de un pasillo. Debajo de mí había un camilla con un cuerpo inmóvil, cubierto por una sábana. Esa persona estaba muerta.

Al otro lado del recodo se abrió la puerta de un ascensor. Dos enfermeros de atuendo blanco salieron de él y caminaron hacia el muerto. Iban hablando como si vinieran de un salón de billares; uno de ellos fumaba, arrojando nubes de humo hacia el techo donde yo estaba suspendido. Percibí que estaban allí para llevar el cadáver a la morgue.

Antes de que llegaran adonde estaba el muerto, mi amigo Tommy cruzó la puerta y se detuvo junto a la camilla. Fue entonces cuando comprendí que el hombre cubierto por la sábana era yo. Había muerto. ¡Era yo, lo que de mí quedaba, el que iba a ser trasladado a la morgue!

Sentí la tristeza de Tommy por mi desaparición. No se resignaba a dejarme ir. Mientras él contemplaba mi cuerpo, suplicándome que volviera a la vida, sentí su amor.

Por entonces toda mi familia estaba en el hospital y yo sentía también sus plegarias. Mis padres, mi hermano y mi hermana estaban en la sala de espera, con Sandy. Ignoraban que yo había muerto, porque el médico no tuvo valor para anunciárselo. Sólo les dijo que no iba a resistir mucho más.

"Es cierto que el amor puede dar vida", pensé, mientras permanecía suspendido sobre el pasillo. "El amor marca una diferencia." Al concentrarme en Tommy sentí que me hacía más denso. Un momento después estaba mirando la sábana desde abajo.

Este regreso a mi cuerpo humano me devolvió el dolor. Estaba nuevamente en llamas, padeciendo el tormento de quien se ha quemado de adentro hacia afuera, como si tuviera ácido en todas las células. En mis oídos se inició un estruendo tan alto que creí estar dentro de un campanario. La lengua se me había hinchado y me llenaba la boca por completo. Tenía líneas azules entrecruzadas en todo el cuerpo, marcando el camino que había tomado el rayo al correr desde mi cabeza al suelo. No las veía, pero sentía su ardor.

No podía moverme, lo cual resulta bastante malo cuando dos enfermeros vienen a llevarte a la morgue. Traté de moverme, pero no podía contraer un músculo por mucho que lo intentara. Por fin hice lo único que podía: soplé contra la sábana.

—¡Está vivo, está vivo! —gritó Tommy.

—Sí, mira —dijo uno de los enfermeros. Apartó la sábana y allí estaba yo, con la lengua fuera de la boca y los ojos en blanco. De pronto empecé a contraerme como en un ataque de epilepsia.

El enfermero que estaba fumando arrojó el cigarrillo al suelo y me empujó de nuevo hacia la sala de emergencia.

—¡Aún está vivo! —gritó.

Los médicos y las enfermeras se apresuraron a actuar.

Trabajaron conmigo por treinta minutos más. Un médico daba órdenes a gritos y las enfermeras obedecían. En rápida sucesión me clavaron agujas en los brazos, el cuello y el corazón. Alguien me puso otra vez los terminales en el pecho, pero no recuerdo haber sentido ninguna descarga eléctrica; probablemente sólo querían monitorear mi ritmo cardíaco. Alguien me introdujo un objeto en la boca. Otro me abrió los ojos para mirarlos con una linterna. Mientras tanto, yo deseaba morir y regresar a la Ciudad de Cristal, donde no existía el dolor y el conocimiento fluía libremente.

Pero no pude volver allá. Según los medicamentos obraban su magia, comencé a sentir que estaba realmente en la habitación. No veía bien y las intensas luces puestas sobre mi cabeza me molestaban tanto que grité para que las apagaran. Pero estaba nuevamente en el mundo real e iba a quedarme allí.

Cuando terminaron los procedimientos de emergencia, me llevaron a un pequeño cuarto lateral. Esa habitación tenía una cortina en vez de puerta y, al parecer, se las utilizaba cuando los pacientes estaban en condiciones de ser trasladados de la sala de emergencias a la unidad de terapia intensiva.

El médico me aplicó una inyección de morfina. Súbitamente me vi nuevamente suspendido por encima de mi cuerpo, mirando hacia abajo, mientras Tommy se escabullía dentro del cuarto para estar a mi lado. Vi que revisaba los cajones y los armarios, confiando en aprovechar su experiencia de enfermero naval para determinar qué tipo de atención se daba en ese cuarto.

Varios días después, hablando con lentitud y escasa coherencia, dije a Tommy algo de lo que había ocurrido. Luego agregué:

—Te vi revolver los estantes y los cajones de la habitación. ¿Qué estabas haciendo?

Como por entonces yo estaba inconsciente por la morfina, quedó estupefacto al saber que yo había visto lo que hacía; eso lo convenció de que, al morir yo, en verdad había ocurrido algo extraordinario.

Pero eso ocurrió después. Durante los siete primeros días estuve paralizado. Amigos familiares se sentaban a mi lado, pero yo no podía abrazarlos, cuando me hablaban, sólo podía responder con unas pocas palabras. A veces tenía conciencia de que había alguien en la habitación, pero ignoraba quiénes eran y por qué estaban allí. Otras veces no sabía siquiera que esas cosas presentes en el cuarto fueran personas. Y como la luz me hería tanto los ojos, había que mantener la habitación oscurecida con cortinas gruesas.

El mundo que tenía sentido era el que habitaba durante el sueño. Si en estado de vigilia mi mundo podía ser considerado "incoherente", como dijo un médico, cuando dormía era un modelo de coherencia. En sueños volvía a la Ciudad de Cristal, donde se me preparaba para hacer las muchas cosas que la visión me requeriría. Se me llevaba a entender los circuitos electrónicos y a reconocer los componentes que necesitaría para hacer la cama.

Estos sueños se prolongaron por varias horas al día, durante veinte días, cuando menos. Eran estupendos. En la vigilia el mundo se llenaba de dolor e irritación. En el sueño, de libertad, conocimiento y entusiasmo. Despierto, la gente que me rodeaba sólo esperaba mi muerte. Dormido, se me enseñaba a llevar una vida fructífera.

Cuando digo que la gente del hospital sólo esperaba mi muerte no lo hago por cinismo. Nunca esperaron que sobreviviera; se me tenía por una especie de misterio médico.

Por ejemplo: de Nueva York vino un equipo de especialistas, sólo para examinarme. Uno de ellos dijo que no tenía memoria de otro caso en que alguien hubiera sobrevivido a semejante rayo y que deseaba examinarme estando aún con vida. Pasaron tres días en el hospital, sondeándome, en tanto yo permanecía paralizado. Algo especialmente horrible fue un examen en el que me clavaron en las piernas agujas de diecisiete centímetros, para ver si sentía algo. Lo asombroso era que yo no sentía las agujas en absoluto, aunque las veía insertadas en mis piernas.

Estaba aterrorizado. Debí de poner cara de miedo cuando iniciaron el examen, pues el médico hizo una pausa antes de insertarme la aguja y me miró. Probablemente ignoraba que yo sabía lo que estaba ocurriendo. Allí estaba, con sus guantes de goma y la aguja en la mano, diciendo: "Vamos a buscar cualquier nervio que esté vivo allí adentro." Luego deslizó la aguja bien dentro de mi pierna.

Cada vez que médicos y enfermeras entraban en la habitación y me encontraban aún con vida, yo les veía la expresión de sorpresa. Esperaban que me fallara el corazón o que me matara el dolor. A decir verdad, el dolor era tan grande que yo deseaba morir. Pero también sabía la verdad: iba a sobrevivir. Mi experiencia en la Ciudad de Cristal y los sueños que tenía todas las noches me aseguraban que estaba condenado a vivir.

Y la palabra "condenado" da una idea adecuada de lo que yo sentía. Mi tormento era constante. Con frecuencia me he preguntado por qué no sentí el examen de las agujas. He llegado a la conclusión de que el dolor interno era tan grande que no podía sentir lo que se hiciera desde afuera. Después de todo, ¿qué dolor puede dar la penetración de una aguja cuando uno está quemado desde adentro hacia afuera? El dolor era tan abrumador, mi estado era tan grave, que no me parecía posible curar lo suficiente para llevar una vida normal. Por eso me sentía condenado a la vida.

Después de pasar ocho días tendido de espaldas, hice un descubrimiento: podía mover la mano izquierda.

Lo descubrí cuando empezó a escocerme la nariz. El dolor había cedido y ahora tenía en todo el cuerpo escozores que parecían colmenas. Una de las peores zonas era la nariz. Me había acostumbrado tanto a la parálisis que me limitaba a permanecer quieto, esperando que la picazón pasara. No pasaba. Comencé a pensar en rascarme la nariz cuando me di cuenta de que los dedos de mi mano izquierda se estaban moviendo. Con gran concentración, fui levantando la mano hacia la cara. El esfuerzo era como levantar una pesa grande. Tuve que detenerme varias veces a descansar. Por fin, probablemente una hora después, me alcancé la nariz. Ya no me escocía, pero me la rasqué igual, para festejar la victoria. Fue entonces cuando vi que el rayo me había quemado las uñas; eran sólo muñones negros.

Era hora de iniciar mi propia rehabilitación.

Había decidido hacer que mi cuerpo volviera a funcionar, de a un músculo por vez. Mi hermano me llevó al hospital un ejemplar de la *Anatomía* de Gray. Ese libro describe el funcionamiento del cuerpo humano, con explicaciones detalladas y dibujos lineales de cada parte del cuerpo. Mi hermano me fabricó un cabezal con una percha para ropa y un lápiz, a fin de que pudiera volver las páginas con la goma del lápiz con sólo mover la cabeza.

Comencé a observar cada músculo de mi mano, examinando la ilustración del libro; mientras tanto me concentraba en los músculos y trataba de moverlos, de a uno por vez. Hora tras hora, fijaba la vista en el libro y luego en mi mano, hablándole, maldiciéndola, obligándola a moverse. Cuando la mano izquierda funcionó, hice lo mismo con la mano derecha, y así con todo el cuerpo. Los grandes momentos eran aquellos en que lograba mover un músculo, aunque sólo fuera por tres milímetros. En esas ocasiones sabía que mi cuerpo volvería a funcionar.

A los pocos días de haber iniciado esta forma de terapia decidí salir de la cama. No tenía esperanzas de caminar, al menos por el momento. Sólo quería salir de la cama y volver a ella por mis propias fuerzas.

Ya avanzada la noche, cuando no había ninguna enfermera en la habitación, rodé hasta caer de la cama al suelo, con un ruido espantoso. Luego forcejeé para volver a la cama de la que acababa de eyectarme. Me puse boca abajo y levanté el trasero en el aire algunos centímetros, como los gusanos. Luego me así de las barras de hierro, las sábanas, el colchón y todo aquello a lo que pude aferrarme débilmente. Varias veces volví a caer al suelo frío. En una ocasión me quedé dormido por puro agotamiento. Pero a la mañana estaba de nuevo en la cama.

Como las enfermeras controlaban a los pacientes cada cuatro horas, supongo que el ascenso me llevó cuanto menos ese tiempo. Estaba tan feliz y exhausto como un escalador que hubiera llegado a la cima del Everest. Sabía que estaba en camino.

Aun así, nadie más pensaba que yo pudiera sobrevivir. Las enfermeras que entraban a verme tenían cara de desesperación. En el pasillo, los médicos comentaban que mi corazón estaba demasiado debilitado y que iba a morir. Hasta mi familia tenía sus dudas. Cuando me veían respirar con tanta dificultad y luchar para moverme, pensaban que sólo me quedaba poco tiempo. "Oh, Dannion, qué bien estás hoy", decían mis padres, aunque me miraban con absoluto horror, como si examinaran a un gato aplastado frente a su puerta.

Lamento no haber tenido una cámara filmadora junto a la cabeza, para registrar la cara de las personas que trataban de mantener su compostura al verme.

Cierto día, por ejemplo, mi tía entró en la habitación y se detuvo al pie de la cama. Me miró fijamente por un minuto, hasta que se agregó su hija.

—Se parece a Jesús, ¿verdad? —comentó mi tía.

—Es cierto —dijo mi prima—. Tiene una especie de resplandor, como debe de haberlo tenido Jesús cuando lo bajaron de la cruz.

En otro momento, un vecino vino a visitarme. Entró en el cuarto con una enorme sonrisa, pero cuando se detuvo a mi lado y me miró, la sonrisa se le marchitó en proporción directa con el dolor de estómago que debía de estar sintiendo. Mi aspecto lo estaba descomponiendo.

—No me vomites encima —le dije.

Gracias a Dios, retrocedió y salió del cuarto.

Hubo un visitante que sí vomitó. Me despertó la presencia de alguien que descorrió mi cortina y dijo: "¡Oh, Dios mío!" Y no pudo contenerse. Se agachó entre arcadas y siguió vomitando en tanto salía. Nadie ha admitido haberlo hecho y aún no sé quién era.

Durante todo este horror yo continuaba en comunión con los Seres de Luz. Noche tras noche, los sueños me mostraban mi futuro. Se me mostraban circuitos, planes de construcción y partes componentes. También se me fijó una fecha tope: en 1992, el modelo del centro debía estar terminado y funcionando.

Hacia fines de septiembre de 1975 me dieron de alta. Había sobrevivido, contra todas las probabilidades. Los médicos pensaban también que quedaría ciego, pero se equivocaron. Mis ojos se habían vuelto tan sensibles a la luz que debía utilizar antiparras de soldador para estar afuera, pero aún veía. Ninguno de los médicos había creído que pudiera volver a moverme, pero trece días después de haber sido fulminado por el rayo pude salir de la cama y dejarme caer en una silla de ruedas. Me llevó casi treinta minutos, pero me empeñé en hacerlo por mí mismo. También habían predicho que mi corazón se detendría a las pocas horas del accidente. Y allí estaba aún, latiendo, mientras me llevaban al auto.

Antes de que saliera, uno de los médicos me preguntó cómo había sido la experiencia. Tardé en responder, pero la imagen que me surgió inmediatamente fue la de Juana de Arco.

—Me siento como si Dios me hubiera quemado en la hoguera —dije, a tropezones.

Luego me sacaron del hospital en la silla de ruedas para llevarme al coche que esperaba.

7

En casa

Sé que fue Sandy quien me retiró del hospital porque ella me lo dijo más adelante. Supongo que, cuando llegué a casa, hubo algún tipo de festejo, pero francamente no recuerdo haber visto globos ni letreros que dijeran: "Bienvenido, Danny". No escuché a nadie decir que me habían enviado a casa para que muriera allí, pero eso fue lo que los médicos dijeron a mis padres y a Sandy. "Que pase sus últimos días en casa", dijo uno de ellos. "Estará más cómodo."

La verdad es que, en general, no sabía si estaba en el hospital o fuera de él. Para mí la vida era somera, pues los nervios de mi cuerpo estaban en cortocircuito. La realidad venía de a trozos, como un rompecabezas. A veces reconocía a la gente, a veces no. Por ratos sabía dónde estaba y un momento después me asustaba al verme en un sitio extraño. Era la caparazón de una persona.

Después de pasar un par de días en casa, por ejemplo, me encontré sentado ante la mesa de la cocina, conversando con una mujer. Ella tomaba café y charlaba sobre personas y hechos de los que yo nada sabía. Esa mujer me gustaba. Tenía un aire conocido y me resultaba muy simpática.

—Disculpe —la interrumpí—, pero ¿quién es usted?

Hubo espanto en su cara.

—¡Pero Dannion! ¡Soy tu madre!

También mi resistencia estaba muy disminuida. Podía estar de pie quince minutos, a lo sumo. A veces lograba caminar unos diez pasos, pero quedaba tan exhausto que debía dormir cuando menos veinte horas.

Mientras dormía entraba realmente en acción. Volvía a la Ciudad de Cristal, donde asistía a clases dictadas por los Seres de Luz.

Estas visiones no eran las mismas que tuve en la experiencia de muerte clínica. Ahora tenía conciencia de mi cuerpo físico y también notaba que los Seres me enseñaban de una manera distinta. Cuando estuve allí en forma espiritual, me bañaba en conocimiento y bastaba con pensar en algo para comprenderlo. Esas sesiones didácticas eran diferentes porque debía esforzarme para aprender mis lecciones. El esfuerzo se debía a la manera de enseñar. Se me mostraba el equipo que supuestamente iba a construir, pero no se me decía mucho sobre él. Sólo observaba, mientras los Seres Espirituales operaban el equipo. A mí me correspondía aprender a construirlo por deducción. Se me mostraron los siete componentes de la cama, por ejemplo, pero sin decirme sus nombres. Y vi de qué modo funcionaban las ocho partes del centro, pero no se me dio ningún manual técnico que mostrara cómo ensamblarlas.

Este método de aprendizaje por observación y deducción hacía que mi empresa fuera sumamente difícil. Además, me dejó algunas incógnitas que aún no he podido resolver.

En cierta ocasión, por ejemplo, se me llevó a recorrer el quirófano del futuro. No había allí bisturíes ni instrumentos agudos. Toda la curación se hacía mediante luces especiales. Los pacientes recibían medicamentos y eran expuestos a esas luces, según dijo el Ser que me acompañaba; eso cambiaba la vibración de las células dentro del cuerpo. "Cada parte del cuerpo tiene su propio ritmo vibratorio", dijo el Ser. "Cuando ese ritmo cambia se producen ciertas enfermedades. Estas luces devuelven al órgano enfermo su ritmo vibratorio correcto, curando cualquier enfermedad que lo afecte."

Estas visiones médicas me fueron brindadas como visiones de un futuro lejano. No se relacionaban con la misión de construir los centros, salvo por demostrar los efectos del estrés en el organismo humano.

Era una suerte contar con una vida espiritual tan rica, porque mi vida física era un desastre. Dos meses después del accidente dormía ya mucho menos, pero aún me costaba hacer las cosas más ordinarias. Sólo levantarme de la cama para ir a la sala requería la planificación de un largo viaje. Por un tiempo traté de caminar por el pasillo, pero solía desmayarme y despertaba con la cara apretada contra el suelo. Una mañana me levanté de la cama y caí al suelo. Debo de haber recibido un fuerte golpe, pues desperté en un charco de sangre que me brotaba a chorros de la nariz quebrada. El accidente me aturdió tanto que pasé todo el día tendido allí, hasta que Sandy volvió a casa.

Generalmente despertaba bastante después de las ocho, cuando Sandy ya se había ido a su trabajo. Tardaba una hora y media en salir de la cama, pues las largas horas de sueño me dejaban los músculos tensos y doloridos.

Después de ponerme en cuatro patas, me arrastraba hasta la sala y pasaba todo el día sentado en el sofá, demasiado exhausto para moverme. Muchas veces me orinaba encima, porque el cansancio me impedía llegar a tiempo al cuarto de baño. Para comer lo que Sandy me dejaba en la mesa ratona, usaba siempre una cuchara. Con el tenedor no lograba encontrarme la boca e invariablemente me pinchaba un ojo o la frente. La primera vez que esto ocurrió estaba tratando de comer una presa de pollo; me pinché en la frente con tanta fuerza que brotó sangre. No podía comer nada complicado, pues temblaba tanto que las arvejas, por ejemplo, rodaban de la cuchara al suelo.

Generalmente me sentaba en la sala sin hacer nada. No escuchaba música ni miraba televisión; me avergonzaba tanto no recordar el nombre de mis amigos que tampoco les pedía que vinieran a visitarme.

Rara vez me molestaba estar solo. Cuanto más tiempo pasaba a solas, más tiempo tenía para pensar en las visiones. Solo en la sala o en el porche delantero, repasaba el material de las sesiones nocturnas con mis maestros espirituales. Constantemente hacía cálculos matemáticos mentales y procesaba la información requerida. A veces bromeaba, diciendo que llegaría a saber lo suficiente para construir la nave espacial *Enterprise*.

Me alegraba tener un constante torrente de visiones, pues no contaba con otra cosa para entretenerme. Rara vez salía, dado que el esfuerzo era demasiado grande. Y si lo hacía corría el riesgo de desmayarme. A veces esto resultaba bochornoso.

En la víspera de Año Nuevo, por ejemplo, Sandy y yo decidimos celebrar en un restaurante chino. Yo estaba decidido a entrar en el restaurante por mí mismo y no le permití que me llevara en silla de ruedas. Desde un estacionamiento para discapacitados fui cruzando lentamente el lote, apoyado en dos bastones. Yo llamaba a eso "cangrejear", pues parecía un cangrejo medio muerto que se arrastrara con sus grandes tenazas por la tierra seca.

Tardé entre diez y veinte minutos en llegar al restaurante; por entonces estaba jadeando de agotamiento. Nos hicieron sentar de inmediato, pero yo seguía sin aliento. Sandy pidió sopa wonton, mientras yo jadeaba como un perro. Traté de mantener una conversación con ella, aunque podía verle en los ojos lo afligida que estaba.

El camarero trajo dos tazones de sopa bien caliente. Miré la sopa y de pronto me encontré en ella. Me había desmayado y caído de bruces dentro del tazón. Al principio Sandy pensó que estaba bromeando, pero cuando comencé a escupir y toser dio un grito y me levantó la cabeza. La sopa chorreó de mi nariz al mantel. El camarero me sostuvo erguido en la silla hasta que recobré la conciencia. Luego, el personal del restaurante me ayudó a volver al auto.

También salir por mi cuenta tenía sus riesgos. Un día decidí pasar la mañana sentado al sol. "Cangrejeé" por la casa hasta salir al patio trasero y, lentamente, llegué a una silla puesta en el medio del patio. Cuando la alcancé estaba exhausto y bañado en sudor. Busqué a tientas los apoyabrazos y comencé a sentarme poco a poco, como lo hacen los viejos. Cuando volví a saber de mí estaba de bruces en el césped. Había vuelto a desmayarme y no podía ponerme de pie.

Allí estuve por seis horas, hasta que Sandy llegó a casa y me levantó. En ese período traté de distraerme examinando el césped y la tierra.

El peor de esos desmayos fue, quizás, el que se produjo cuando fui al auto en busca de una revista que había dejado en el asiento delantero. Así el picaporte de la portezuela, la abrí y me derrumbé. Al despertar tenía la mano atascada en el picaporte y colgaba de él, con el hombro descoyuntado. Así permanecí tres horas, hasta que alguien acudió en mi ayuda.

Hacia fines de 1975 estaba quebrado. Las facturas del hospital y la pérdida de ingresos excedía los cien mil dólares; la deuda ascendía con cada día transcurrido. Para pagar mis cuentas tuve que vender todo cuanto poseía. Primero me desprendí de todos los coches: cinco automóviles antiguos en excelente estado, que vendí al mayor postor. Como no podía trabajar, también tuve que vender mi parte en la empresa. Cambió el carácter del trabajo independiente que hacía para el gobierno. Antes trabajaba en seguridad, lo cual requería ser veloz y no llamar la atención; no había ninguna posibilidad para una persona medio ciega, que caminaba como un cangrejo lisiado. Me vi limitado al trabajo de oficina. Cambiar el campo de acción no me molestó demasiado; aunque lo anterior era mucho más excitante que la vida oficinesca, llevaba consigo demasiados recuerdos malos. Tal como vi en mi experiencia de muerte clínica, en esos años había hecho demasiado daño a la gente. Después de haber revivido esos hechos no quería seguir empañando mis antecedentes. Tal como decía a quien quisiera escucharme: "Ten cuidado con lo que haces en la vida, que cuando mueras tendrás que verte hacerlo otra vez. La diferencia es que, en esa ocasión, serás tú el que reciba."

Nos mudamos a otra casa, pues la anterior era un recordatorio constante del rayo. Tan potentes eran los recuerdos que jamás volví al dormitorio donde se había producido el accidente. Exigía que Sandy mantuviera la puerta cerrada y me negaba a acercarme allí, aunque era la alcoba más grande.

Antes de vender la casa hice cambiar la alfombra del dormitorio. Fue preciso hacerlo, pues tenía marcada una huella quemada de mis pies; eso habría devaluado la vivienda tanto como la silueta a tiza de una víctima de homicidio. Cuando los obreros retiraron la alfombra, yo estaba sentado en el sofá de la sala. Oí que uno de ellos silbaba y el otro decía: "¡Mira eso!" Después, uno de ellos salió con un gran sonrisa, comentando: "¡Hay líneas negras en todo el suelo, marcando el lugar donde la electricidad salió y encontró los clavos!"

Mi bancarrota apenas me despertaba un interés superficial. Mis padres nos ayudaban y Sandy tenía un empleo, pero ese rayo me había hecho perder cuanto tenía. Cuando volví a la actividad había gastado miles y miles de dólares en atención médica. Es una deuda que aún no he saldado del todo.

Sólo podía pensar en los centros que los Seres me habían revelado. Esos centros eran mi destino, lo que se esperaba de mí. Debía construir esos centros, pero no sabía cómo.

Hablaba constantemente de ellos, para mis adentros y a quien quisiera escucharme... y también a quienes no querían. Eran la razón de mi vida. Comencé a relatar con lujo de detalles lo que me había ocurrido al morir; cuando menos, trataba de hacerlo. Gran parte de lo que yo decía en esos tiempos era difícil de comprender para los demás. En mi cabeza todo estaba claro, pero al salir de mi boca faltaban grandes fragmentos y todo sonaba a tontería.

Aun así continué hablando de toda la experiencia: el abandono del cuerpo, la visita a la ciudad celestial, el futuro que había visto en las cajas y el descubrimiento de que estaba destinado a construir esos centros. Lo describía todo detalladamente, pues lo tenía tan bien plantado en el cerebro que no tenía otro modo de explicarlo.

Describí los ocho pasos de esos centros más veces de las que puedo recordar. Mencionaba las cajas y las visiones del futuro que contenían. "Esos centros pueden cambiar el futuro", decía. "Pueden reducir el estrés y el miedo, que causan tantos de los problemas del mundo."

Cuanto más hablaba, más sentía que la gente se apartaba de mí. Hasta Sandy se estaba alejando y, francamente, no se podía criticarla. Era una mujer joven y hermosa, con una larga vida por delante. ¿Por qué malgastarla con un hombre que caminaba como un cangrejo y se la pasaba parloteando sobre proyectos celestiales para la reducción del estrés?

Y mis amigos, los mismos con quienes por años había jugado al fútbol y bebido cerveza, tenían que escuchar mis discursos de mesías. Uno de ellos dio en el clavo al decir que parecía un "fundamentalista retardado". Eso era, exactamente. Ellos nunca habían oído hablar de la experiencia de muerte clínica y no tenían idea de lo que había pasado.

En realidad, yo mismo no había oído hablar de las experiencias de muerte clínica. Pero estaba seguro de que había un Dios grande, potente y glorioso; sabía que, al otro lado, el mundo era magnífico. En este mundo yo vivía, respiraba y sentía el dolor del mundo.

También sabía que, a través del amor y de Dios, podría salir de ese dolor. Nadie iba a convencerme de que los centros no funcionarían, aunque por entonces fueran sólo una visión. Yo estaba seguro de que eran factibles, porque había sido cada una de las personas a las que ellos podían ayudar. Del dolor, nadie podía decirme nada nuevo. Tampoco de la angustia mental. Yo conocía el dolor y el espanto mejor que nadie.

Y sabía que los centros eran la solución para ayudar a la humanidad.

Un día alguien me preguntó por qué no me suicidaba. No recuerdo quién fue, pero sí que le conté toda la historia tal como la he relatado hasta aquí. Y esa persona dijo:

—Si aquello era tan maravilloso, Dannion, ¿por qué no te matas?

La pregunta no me enfadó en absoluto. Por el contrario, era muy lógica, sobre todo considerando que yo pasaba mis horas de vigilia cantando alabanzas sobre la vida posterior. ¿Por qué no me mataba?

Hasta entonces yo no había pensado en eso. Sentado en el porche, como un zombie, comencé a reparar en el cambio que se había producido en mí como resultado de la experiencia de muerte clínica. Pese a mi estado, la experiencia me brindaba la fortaleza interior necesaria para resistir. En los peores momentos me bastaba con recordar el amor que emanaban esas luces celestiales; entonces podía continuar. Sabía que era incorrecto quitarme la vida, pero lo cierto es que nunca se me hubiera ocurrido hacerlo. Cuando las cosas marchaban muy mal, bastaba con pensar en el amor de la luz para que mejoraran.

Y cuando digo que las cosas mejoraban, quiero decir que mejoraban en algún sitio muy dentro de mí, un sitio que me permitía vivir con esa adversidad. Para el mundo exterior yo era otra cosa. Apenas podía caminar y tenía dificultades con la vista. Durante el día usaba antiparras de soldador y pesaba setenta kilos, unos treinta y dos por debajo de mi peso normal. Tenía el cuerpo tan encorvado que parecía un signo de interrogación. Divagaba como un fanático religioso, hablando de seres espirituales, ciudades de luz, cajas con visiones del futuro y, por supuesto, de los centros.

Parecía loco; probablemente habrían debido internarme en un manicomio. Y bien habría podido acabar así, si no hubiera visto en el diario un artículo que me cambió la vida otra vez.

8

Una gracia salvadora

El artículo tenía apenas cuatro párrafos, pero la lectura de esas palabras me cambió la vida tanto como el rayo. Decían, simplemente:

El doctor Raymond Moody dará una conferencia en la Universidad de Carolina del Sur, sobre el tema "Qué ocurre con algunas personas que han sobrevivido tras ser declaradas clínicamente muertas".

Moody, psiquiatra de Georgia, ha estado analizando casos de personas que, tras estar prácticamente muertas, volvieron de su roce con la muerte diciendo que habían visto a familiares fallecidos y a Seres de Luz, y que vieron pasar toda su vida ante ellos.

Moody llama a este fenómeno "experiencia de muerte clínica"; asegura que puede sucederle a miles de personas que han tenido roces con la muerte.

Eso me entusiasmó. Por primera vez desde la descarga del rayo, caía en la cuenta de que no era el único. Al leer esos pocos párrafos comprendí que otras personas habían subido por ese túnel y visto a los Seres de Luz. Lo que me había ocurrido tenía incluso nombre: experiencia de muerte clínica.

Busqué la fecha de la conferencia; faltaban apenas dos días. Desde mi regreso a casa había salido muy pocas veces, siempre con incidentes bochornosos, pero decidí que debía escuchar al doctor Moody, aunque sólo fuera para hablar con alguien que comprendía realmente lo que me estaba pasando.

Aunque no ha pasado tanto tiempo desde 1975, esa época era como la Edad Media para quienes habían pasado por experiencias de muerte clínica. Los médicos sabían poco y nada del tema y, si los pacientes las mencionaban, solían desecharlas como pesadillas o alucinaciones. Si un paciente insistía en hablar de su experiencia, generalmente se lo derivaba a un psiquiatra. En vez de escuchar y tratar de comprender, muchos psiquiatras medicaban a los pacientes que habían experimentado esos sucesos espirituales. Lo sorprendente es que hasta los clérigos ofrecían poca ayuda, pues en general consideraban que esos viajes espirituales eran obra del demonio.

Hay muchas anécdotas ilustrativas del mal manejo que se hacía de esas experiencias. Una de las que más me interesó fue la de un soldado que estuvo a punto de morir en combate, durante la guerra de Corea. Sufrió una conmoción cerebral, resultante de una descarga de artillería enemiga, y fue llevado al hospital con heridas muy graves en la cabeza.

Poco después de producirse la explosión, abandonó su cuerpo y quedó flotando por sobre el campo de batalla. Se vio a sí mismo, rodeado por otros soldados muertos y heridos, y comenzó a sentir pena, tanto por sus amigos como por el enemigo. Luego sintió que aceleraba hacia un sitio oscuro y se dirigía a una luz intensa. Al llegar a esa luz se sintió "empapado de buenos sentimientos". Pasó por una revisión de su vida que aún lo deja estupefacto al recordar sus vívidos detalles. "Era como ver una película con todos los sentidos del cuerpo", decía. Al terminar ese repaso recibió un mensaje especial. "Ama a todos, simplemente", dijo una voz en su cabeza. Luego volvió a la vida.

Un par de días después comenzó a hablar de su experiencia: primero, con médicos y enfermeras; luego, con otros pacientes. El problema fue que habló demasiado. Los médicos, que nada sabían sobre las experiencias de muerte clínica, lo derivaron a los psiquiatras del ejército, que tampoco sabían nada del tema. No pasó mucho tiempo sin que este excelente soldado, portador del mensaje espiritual "ama a todos, simplemente", se encontrara en un hospital psiquiátrico.

La ignorancia de los médicos era comprensible. Aunque la historia de la humanidad ha informado gran número de experiencias semejantes, estos informes han sido publicados en los libros de historia o en documentos religiosos, nunca en los textos de medicina.

En la Biblia, por ejemplo, hay varios episodios que sólo pudieron ser experiencias de muerte clínica. Pablo, el discípulo, vivió una después de haber sido casi lapidado a las puertas de Damasco. Elevados líderes religiosos, como los Papas, han coleccionado relatos de eclesiásticos que tuvieron roces con un mundo espiritual a través de la muerte clínica. El papa Gregorio XIV estaba tan fascinado con esos relatos que se reunió con las personas que los habían vivido.

La Iglesia Mormona ha recolectado muchas experiencias de ese tipo en el *Journal of Discourse*, comentario sobre las creencias mormónicas escritas por los ancianos de la iglesia. Sus hallazgos coinciden con todo lo que me ocurrió. Ellos creen que, a la muerte del cuerpo físico, el espíritu retiene los cinco sentidos de vista, tacto, gusto, oído y olfato. Piensan que la muerte nos deja libres de enfermedad e incapacidades, y que el cuerpo espiritual puede moverse a gran velocidad, ver en muchas direcciones diferentes al mismo tiempo y comunicarse por otros medios que el habla.

Supongo que esas creencias se originan en experiencias personales. Muchos de los ancianos mormones han tenido experiencias de muerte clínica o reunido relatos detallados de otros feligreses. De esas experiencias extrajeron muchas conclusiones sobre la vida después de la muerte.

Por ejemplo: definen la muerte como "un mero cambio de un estado o esfera de existencia a otro". Sobre el conocimiento, el libro dice: "Allá, como aquí, todas las cosas serán naturales y las comprenderás como ahora comprendes las cosas naturales." Incluso mencionan la luz celestial que yo vi al decir: "el fulgor y la gloria del próximo apartamento es inexpresable".

Describen la experiencia de muerte clínica, aunque sin emplear ese término: "Algunos espíritus que han experimentado la muerte son convocados a habitar nuevamente el cuerpo físico", dice el *Journal*. "Estas personas pasan dos veces por la muerte natural o temporal."

Una de esas experiencias es la que ocurrió a Jededías Grant mientras yacía en su lecho de muerte; así la relató a su amigo Heber Kimball, que la registró para el *Journal*:

El me dijo: Hermano Heber, he estado en el mundo espiritual dos noches seguidas, y de todos los temores que alguna vez cruzaron por mí, el peor fue el tener que regresar a mi cuerpo, aunque tuve que hacerlo.

Vio a su esposa, fue la primera persona que acudió a él. Vio a muchos conocidos, pero no mantuvo conversaciones con ninguno, salvo con su esposa Carolina. Ella se le presentó y él dijo que la encontró bella y que tenía en los brazos a su niñita, la que murió en la llanura, y que le dijo: "Señor Grant, he aquí a la pequeña Margaret: usted sabe que los lobos la devoraron; pero no le hicieron daño; aquí está, bien y sana."

Aunque hace miles de años que se habla de las experiencias de muerte clínica, no ingresaron plenamente en el terreno médico sino en la década de 1960, cuando los progresos de la tecnología médica permitió que muchos pacientes casi muertos fueran devueltos a la vida. De pronto era posible salvar a víctimas de ataques cardíacos o de graves accidentes de tránsito, gracias a una combinación de alta tecnología, drogas y habilidad.

Ciertas personas comenzaban a sobrevivir después de haber fallecido. Y cuando recobraban la plena conciencia narraban cosas muy similares a las registradas en la historia, parecidas también a las que contaban otras víctimas de muerte clínica en otras salas del mismo hospital. El problema era que los médicos, en su mayoría, no prestaban atención a esas experiencias; cuando no derivaban a los pacientes a un clérigo, les decían que esas cosas no podían haber sucedido. Estos magos de la medicina técnica estaban preparados para manejar prácticamente cualquier problema físico que surgiera pero los problemas espirituales estaban fuera de su alcance.

El doctor Moody decidió escuchar esos relatos y analizarlos como nadie lo había hecho. Su primer contacto con una experiencia de muerte clínica se produjo en 1965, mientras estudiaba filosofía en la Universidad de

Virginia. Allí escuchó del doctor George Ritchie, psiquiatra de la zona, el relato de una extraordinaria experiencia que había vivido cuando una pulmonía lo puso al borde de la muerte, estando en el ejército. Los médicos habían declarado que el joven soldado había muerto; él abandonó su cuerpo y descubrió que podía viajar a través del país; su espíritu era como un avión a chorro que volara a poca altura. Cuando volvió al hospital militar donde había muerto, en Texas, lo recorrió buscando su cuerpo. Por fin logró identificarlo, no porque reconociera su propia cara, sino porque reconoció el anillo de graduación que usaba en el dedo.

La experiencia de Ritchie intrigó tanto a Moody que no pudo olvidarla. En 1969 empezó a hablar de eso en una clase de filosofía que estaba dictando. Después de la primera clase, un estudiante se adelantó para relatarle una experiencia que había tenido en el umbral de la muerte. Moody reparó con asombro su similitud con la del doctor Ritchie. En los tres años siguientes oyó hablar de ocho casos más, aproximadamente.

Mientras estudiaba medicina, Moody continuó recogiendo esas historias reales de personas que lo sabían interesado en las experiencias de "la vida posterior". Con el correr del tiempo llegó a reunir más de ciento cincuenta relatos.

Publicó la mayoría en *La vida después de la vida*, libro que presentó una nueva especialidad médica conocida como "estudios de muerte clínica". Este libro sigue siendo una gran contribución al conocimiento humano; en el mundo entero se han vendido millones de ejemplares. Los médicos informados ya no podían decir a un paciente que el mundo espiritual visto por él antes de resucitar era sólo un sueño. La investigación de Moody demostró que era una experiencia común, compartida por muchas personas (si no la mayoría) entre quienes sobrevivían a un contacto con la muerte.

Llamó a esos episodios "experiencias de muerte clínica" y las definió buscando los elementos comunes a todos los casos reunidos. Descubrió quince de esos elementos; aunque ninguno de los relatos individuales presentaba todos esos elementos, unos cuantos sumaban hasta doce de ellos. Desde la publicación de *La vida después de la vida*, estos elementos han sido combinados y reducidos a nueve características comunes:

La sensación de estar muerto, en la cual el sujeto reconoce su fallecimiento.

Sensaciones de paz y ausencia de dolor, por las cuales el paciente, aunque debería estar sufriendo dolores considerables, descubre que ya no siente el cuerpo.

Experiencia de abandono del cuerpo; el espíritu o la esencia del sujeto flotan por sobre el cuerpo; puede describir hechos que no habría podido ver. Mi observación de Sandy, que me bombeaba el pecho, y mi regreso al cuerpo muerto en el hospital son dos ejemplos de mi propia EMC.

Una experiencia de túnel; la persona "muerta" tiene la sensación de viajar a gran velocidad por un túnel. Es lo que me ocurrió en la ambulancia cuando, al ver que había muerto, me aventuré por un túnel hasta el mundo espiritual.

Ver personas de luz. Con frecuencia se ve, al final del túnel, a familiares muertos que parecen compuestos de luz. En mi caso vi a muchas otras personas como yo, compuestas de luz, aunque ninguna de ellas era un familiar fallecido.

Ser recibidos por un ser de luz especial. En mi caso, el guía espiritual que encontré al final del túnel se ajusta a esta descripción. El me condujo al mundo espiritual y fuera de él, haciéndome repasar mi vida. Otras personas dicen haber ido a un lugar, como un jardín o un bosque, donde se encontraron con el Ser de Luz.

La revisión de la vida, en la cual el individuo puede ver toda su vida y evaluar sus aspectos agradables y desagradables. Para mí esto se produjo mediante el contacto con mi guía espiritual.

Renuencia a regresar. Yo tampoco deseaba regresar, pero fui obligado por los Seres de Luz, que me dieron la misión de construir los centros.

Sufrir una transformación de personalidad. Esta es positiva para la mayoría; en general se comienza a dar valor a cosas tales como la naturaleza y la familia. Yo experimenté este tipo de transformación, pero también pasé por lo que suele considerarse una transformación negativa. Me obsesioné con mi experiencia y mi nueva misión en la tierra, que era construir "los centros". Esta obsesión condujo a la frustración, pues no sabía cómo construirlos.

Moody estaba trabajando en *La vida después de la vida*, pero nunca había encontrado a una persona que hubiera experimentado todas las características de una experiencia de muerte clínica. Puedo haber sido el primero.

Entré en la universidad donde Moody iba a dar su conferencia vestido con mi atuendo habitual. Debo de haber sido un verdadero espectáculo. Sabiendo que, en ese tipo de conferencias, la iluminación suele ser intensa, me presenté con mis antiparras de soldador. Me cubría con un largo abrigo de marinero, que me llegaba a las pantorrillas. Caminando con mis dos bastones, fui repiqueteando por el pasillo de la universidad en busca del salón.

—¡Ese tipo parece una mantis rezadora! —gritó alguien, cuando entré en el salón de conferencias. Había allí unas sesenta personas; busqué asiento en la parte trasera para evitar una caminata llamativa hasta el frente. Allí me senté, a escuchar lo que Moody decía de mis hermanos de alma.

Por entonces estaba escribiendo *La vida después de la vida*. El tono maravillado de su voz al relatar su propia investigación cautivó a todos los presentes. Para mí fue más emocionante que para nadie, pues yo había estado allí. *¡No era el único! ¡Otras personas conocían ese sitio!*

La conferencia del doctor Moody me llenó de energías. Había llegado resquebrajándome bajo la tensión, dispuesto a renunciar. Lo había perdido todo. No sabía qué hacer ni hacia dónde ir. Y de pronto allí estaba mi salvador, alguien que comprendía lo que me estaba pasando. De pronto sentí nuevas fuerzas.

Al terminar su charla, Moody dio un paso adelante y preguntó:

—¿Hay alguien en la sala que haya pasado por una experiencia así?

Levanté la mano.

—Yo pasé por algo de eso —dije, con mi hablar entrecortado—. Fui fulminado por un rayo.

Me sorprendió enterarme de que Moody había leído un artículo sobre mí y recordaba el incidente. Como recolectaba casos posibles, una de sus costumbres era recortar los artículos referidos a personas que hubieran tenido accidentes casi fatales y, por algún tiempo, había pensado ponerse en contacto conmigo.

—¿Puedo visitarlo para una entrevista? —preguntó.

—Por supuesto —respondí—. Cuando menos podré hablar con alguien que no huya.

La sala se llenó de risas. A todo el mundo le pareció divertido, salvo al doctor Moody y a mí. Él parecía comprender exactamente lo que yo sentía. Si alguien hubiera podido ver lo que pasaba detrás de las antiparras, habría visto que yo estaba a punto de llorar. Pero lo que hice fue echarme a reír. Traté de no temblar, pero la risa brotó con tanta energía que pronto me descubrí casi aullando.

—¿Qué lo divierte tanto? —me preguntó mi vecino de asiento.

—Si alguien me hubiera hablado de experiencias
de muerte clínica antes de pasar por la mía, yo me habría
burlado de esa persona —respondí—. Y ahora me toca a
mí.

9

Una nueva razón para vivir

Los amigos íntimos del doctor Raymond Moody han dicho que es una cruza del Pato Donald con Sigmund Freud. Es a un tiempo brillante y cómico, capaz de entretejer un chiste con las obras de Platón. Tan inteligente es Raymond que, siendo estudiante de medicina en la Universidad de Georgia, daba clases allí.

Yo reconocí de inmediato su intelecto y su humor cuando lo vi llegar a mi casa, una semana después. Entró en mi patio delantero con un viejo Pontiac azul, con dibujos al crayón en todas las portezuelas. Eran figuras infantiles hechas por sus hijos, parecidos a los que se pueden ver en las cavernas del hombre prehistórico.

"Viene en el auto de Pedro Picapiedras", pensé al mirar a través de las cortinas.

Subió la escalinata y golpeó con fuerza contra la puerta mosquitera. Yo estaba levantado, pero tardé un par de minutos en abrirle. Raymond esperó con paciencia, en tanto yo arrastraba los pies hasta la puerta.

Cuando vio la sala fue un amor a primera vista. Yo tenía siete sillas mecedoras; pronto descubrí que Raymond siempre se sienta en una mecedora para pensar en serio.

Ocupó una de roble, de respaldo recto y con grandes soportes; yo me arrastré hasta instalarme frente a él, en una mecedora tapizada. Pasamos ocho horas meciéndonos, mientras hablábamos de lo que me había pasado y de las experiencias de muerte clínica en general. *La vida después de la vida* aún no estaba publicado, pero Raymond ya tenía muchas ideas nuevas y estaba trabajando en un segundo libro.

Antes de mencionarme ninguna de esas obras me interrogó sobre mi propia experiencia. De ese modo, según me explicó, nadie podría objetar que mi declaración estaba teñida por los hallazgos que él iba a publicar.

Me entrevistó de un modo muy directo, haciendo preguntas abiertas y manteniéndose impávido. No demostraba emoción alguna al oírme hablar de mi experiencia y lo que había sucedido a partir de ella. Se limitó a seguir preguntando hasta que no le quedó nada por oír.

El objetivo de este método para entrevistas es evitar que el sujeto adorne su relato. Al formular preguntas breves y abiertas, sin mencionar las experiencias de muerte clínica vividas por otros, Raymond podía asegurarse de que yo no coloreara mi experiencia con las ajenas.

Aunque ese enfoque es el mejor para obtener la verdad, a mí me resultaba desconcertante. Estaba habituado a que la gente quedara boquiabierta de asombro cuando yo relataba lo ocurrido. Raymond, en cambio, me escuchaba con la cara impávida. No demostró alarma ni sorpresa cuando le hablé de las catedrales de luz. "Sí, sí, he oído hablar de ellas", dijo. No arqueó una ceja siquiera cuando le dije lo de las salas de conocimiento.

Le hablé de la belleza y la gloria del mundo espiritual, donde toda la luz era conocimiento. Sobre los espíritus celestiales y su convicción de que somos "seres espirituales poderosos", que demostramos gran valor al venir. a la tierra.

Recuerdo exactamente algunas de las palabras que pronuncié: "Yo lo sabía todo en el mundo y en el universo. Conocía el destino de todo, hasta de las cosas más simples, como una gota de lluvia. ¿Sabía usted que no hay una gota de lluvia cuyo destino no sea volver al mar? Eso es lo que estamos tratando de hacer, Raymond. Somos sólo gotas de lluvia que tratan de retornar a la fuente, el sitio del cual vinimos." "Los que venimos aquí somos valientes, pues estamos dispuestos a experimentar en un mundo muy limitado, por comparación con el universo entero. Los espíritus dicen que todo el que está aquí debería considerarse a sí mismo muy digno de estima."

Le hablé de las cajas de conocimiento, pero no le dije qué información contenían. A esta altura avanzaba con tanta celeridad por la narrativa que salteaba los detalles.

Luego le conté lo de los centros; hablé sobre todo de la cama. Por entonces la cama me obsesionaba constantemente; me preguntaba dónde conseguir las partes para armarla y hasta cuáles eran esas partes, puesto que podía verlas, pero no las identificaba.

Conté todo a Raymond y lo hice con tanta furia que debió de parecer una parrafada atemorizante, como las divagaciones de un demente. Ahora sé que mi relato sonaba de ese modo a todos los demás; ellos decían directamente que yo parecía chiflado o se limitaban a evitarme como si lo estuviera. No ocurrió así en el caso de Raymond. Dejó de mecerse y se inclinó hacia adelante, mirándome profundamente a los ojos.

—Usted no está loco —aseguró—. Nunca escuché un relato tan detallado como el suyo, pero me han contado cosas con los mismos elementos. Usted no está loco. Ha experimentado algo que lo diferencia de todos. Es como descubrir un país nuevo, con un pueblo diferente, y tratar de convencer a todos de que ese lugar existe.

Dentro de mí se derritió algo duro; lo que él decía me llenaba de consuelo. Comprendí que ahora encontraría a otros como yo, que también habían visto ese "país nuevo". Sentí un estallido de energía renovada. Supe que iba a regresar y que nada me detendría.

Durante el resto del día, Raymond me habló de algunos casos que había descubierto durante su investigación. Estudiar esas experiencias y escribir sobre ellas había causado un cambio dramático en su vida. Aunque su primer libro aún no estaba publicado, en el *Atlanta Constitution* había aparecido un artículo sobre su obra y ya se veía invadido por llamadas telefónicas de personas que habían tenido EMC. Eso era nuevo para Raymond, quien hasta entonces había llevado una vida tranquila, casi académica.

—Cuando aparezca el libro no tendré tiempo para mí mismo —dijo. Lo preocupaba su pérdida de intimidad y, sobre todo, del tiempo que dedicaba a sus estudios. Si hay dos cosas que Raymond gusta de hacer, según descubrí más tarde, son leer y pensar.

Ese día, cuando Raymond se fue, en mi actitud había un cambio definitivo. Comencé a luchar. Traté de no autocompadecerme. No era fácil, pues mis lesiones físicas eran tan graves que me parecía imposible volver a la normalidad. Pero en vez de actuar como si hubiera recibido un golpe insuperable, comencé a mirar el lado positivo de mi vida, el modo en que estaba superando mi incapacidad. Por ejemplo: ahora sólo me lleva unos veinte minutos recorrer el pasillo hasta el cuarto de baño, cuando semanas antes casi nunca llegaba a tiempo para no ensuciarme los pantalones. La luz aún me irrita la vista, pero un poco menos cada día. Mis manos iban recobrando el movimiento y la fuerza; el dolor general causado por las quemaduras del rayo desaparecía poco a poco.

Psicológicamente mejoraba aun más de prisa. Mis divagaciones y delirios descendieron uno o dos puntos. Aún hablaba constantemente de mi experiencia a quien quisiera escuchar, pero ya no parecía un predicador fundamentalista demente. Gracias a la comprensión de Raymond y al descubrimiento de que había muchos otros como yo, no me era ya necesario convencer a nadie de que esa experiencia había tenido lugar. Empecé a leer la Biblia y a estudiar el carácter de las visiones que relatan las Escrituras. También leí *La vida después de la vida*, del que Raymond me dio un original.

Ahora hablaba con él casi todos los días. Durante una de esas llamadas recordé que no le había contado el futuro que me fuera revelado en esas cajas. Me preguntó si podía hacerlo y fijamos fecha para una reunión.

Un par de noches después, Sandy y yo nos presentamos en su casa. Nos hicieron pasar a la sala y Raymond nos ofreció una gaseosa. Luego empezamos a hablar de las trece cajas y lo que revelaban. Le dije que, en la década de 1990, se desarrollaría en el Medio Oriente una gran guerra, que destruiría un ejército importante y cambiaría la composición de esa parte del mundo. Le expliqué cómo se derrumbaría la Unión Soviética, entre disturbios de gente hambrienta y confusión política, en tanto los Soviets trataban de hallar un sistema político nuevo que remplazara al comunismo. Luego le dije que el mundo se balcanizaría cada vez más, con la división de grandes países en varios pequeños. Describí el contenido de cada una de las cajas que los seres espirituales me mostraron, tal como lo he hecho en este libro.

Nuestras conversaciones se prolongaron por varias noches. Raymond se hamacaba en la mecedora, a veces tomando notas. También anotaba gran parte de lo que yo decía, asintiendo con la cabeza. Entre sus muchos atributos, Raymond es estupendo para escuchar. Sabe que a la gente le encanta hablar y que el mejor modo de conocer la verdad sobre alguien es absorber todo lo que esté dispuesto a decir. Así que él escuchaba y yo hablaba.

De pronto lo sorprendí. Le dije que estaríamos juntos el día en que el mundo comenzara a derrumbarse. Entonces sabríamos, dije, que todas las visiones vistas en las cajas se harían realidad.

—¿Cuándo será eso? —preguntó Raymond.

—Estaremos en la Unión Soviética cuando se desarme —dije—. Estaremos allí y sabremos personalmente que todo esto es verdad.

—Comprendo —dijo, anotando algo en su libreta.

Me di cuenta de que no me creía; a mí mismo me costaba creerlo. En los años setenta, la Unión Soviética era un país de fronteras cerradas y a los ciudadanos estadounidenses les costaba muchísimo conseguir visas de viaje. Más aún: mis trabajos para zonas sensibles del gobierno norteamericano hacían muy improbable que se me diera la oportunidad de viajar a ese país, como no fuera en una visita oficial. Por otra parte, Raymond y su libro estaban prohibidos por los Soviets, que los consideraban subversivos.

Aun así, la visión de la caja me mostraba en las calles de Moscú con un hombre que no pude identificar, observando a la gente que formaba fila para recibir alimentos. Esa noche, en compañía de Raymond, tuve la honda sensación de que él sería el que me acompañara en esa importante ocasión.

Esa escena se cumplió. Ahora debo decir al lector que Raymond y yo visitamos Moscú en 1992, justo tras el colapso del comunismo, y vimos a los maltrechos rusos formar fila alrededor de toda una manzana, con la escasa esperanza de entrar a una tienda y comprar cualquier alimento que allí hubiera. Cuando ocurrió esto, Raymond me miró con sorpresa, recordando aquella noche de casi quince años atrás.

—¡Es esto! —dijo—. ¡Esto es lo que viste en esa caja!

Esas primeras visitas a Raymond figuran entre los mejores días de mi vida. Sandy y yo cenábamos con él, su esposa y sus dos hijos. Aunque lo acosaban las llamadas telefónicas de otras personas que deseaban hablar de sus experiencias, Raymond me tenía un aprecio especial.

Debido al tema que estaba tratando, se había convertido para mucha gente en la única esperanza de comprensión. Recordemos que, en aquellos tiempos, casi nadie hablaba de estas experiencias; cuando alguien lo hacía se lo trataba como a caso de chaleco. La gente buscaba a Raymond porque era médico y comprendía.

Las voces de quienes le telefoneaban tenía una nota de súplica que ponía una expresión de dolor en su cara. Al escucharles contar cómo habían estado a punto de morir, no era raro que Raymond se llevara la mano a la boca, diciendo: "¡Oh, no!", con visible espanto. Se interesaba profunda y sinceramente por esas personas y les hablaba como si fueran familiares de él. Para atenderlos abandonaba la mesa de la cena, sin pedirles jamás que volvieran a llamar más tarde.

Yo sólo oía su parte de esas conversaciones, sembrada de comentarios tales como: "Sí, he hablado con mucha gente que vio a algún familiar fallecido al final de ese túnel", o: "Abandonar el cuerpo es común durante las experiencias de muerte clínica."

Me tranquilizaba escucharle hablar a otras personas sobre ese tipo de experiencias. Era obvio que esas personas estaban tan perplejas como yo. Eso me calmaba más y más.

A medida que me sentía más cómodo con Raymond, fui revelándole las distintas predicciones que había presenciado. Como ya he dicho, las analicé en gran detalle, desde Chernobyl hasta las guerras. Supongo que él no creía que fueran a cumplirse, pero al menos las anotaba. Eso fue de gran ayuda más adelante, cuando las visiones se hicieron realidad.

10

Con los míos

Desde el momento en que se publicó *La vida después de la vida*, a fines de 1975, la vida de Raymond se convirtió en un torbellino. Mientras estaba en Charlottesville, cumpliendo con su residencia en psiquiatría, desde todas partes comenzó a llegar un diluvio de solicitudes. Los medios de comunicación pedían entrevistas; las organizaciones y universidades, conferencias; la gente, como siempre, sólo quería hablar. Las exigencias de su residencia impedían a Raymond atender personalmente muchas de esas solicitudes.

Cierto día Louise, su primera esposa, me llamó para preguntarme si podía darle una mano. Raymond necesitaba ayuda para programar sus conferencias y sus entrevistas, tarea organizativa para la que no tenía tiempo ni paciencia. Por entonces estábamos a fines de 1976 y yo había mejorado mucho. Mis médicos ya no decían que yo moriría pronto, aunque insistían en que las lesiones de mi corazón iban en detrimento de una "supervivencia a largo plazo". Las antiparras de soldador habían sido remplazadas por un par de gafas muy oscuras, que usaba sólo para salir. Ya podía caminar con un solo bastón, aunque no siempre; hablaba de manera coherente, sin caer en balbuceos indefensos sobre ciudades de luz y visiones del futuro.

No quiero dar la idea de que me había olvidado de eso. No: mi experiencia de muerte clínica estaba siempre allí, a cinco centímetros de mi cara. Pero sabía dominarme y mencionarla sólo en los momentos adecuados. Raymond me ayudó a lograrlo, diciéndome: "Deja de creerte Jesucristo y espera a que la gente pregunte para empezar a predicarles sobre lo que te pasó."

Fui a Charlottesville para darle una mano. En ocasiones Raymond no salía de su biblioteca; esa fue una. Estaba muy ocupado con su segundo libro, *Reflexiones sobre la vida después de la vida*, y obviamente no quería que se lo molestara.

Por lo tanto, yo tenía mucho que hacer. Atendía el teléfono, seleccionaba las solicitudes de entrevistas periodísticas y organicé un programa de conferencias, con el que Raymond viajaría hasta los rincones más apartados del mundo. Lo acompañé a muchas de esas presentaciones. Quería estar allí para manejar el negocio, pero también por la oportunidad de rodearme de muchas personas como yo, que habían tenido experiencias de muerte clínica y por primera vez se encontraban con otros como ellos.

Ese es un lujo que muy pocos de ellos pueden permitirse. Aun hoy, pese a que la experiencia está ampliamente reconocida, es raro que se reúnan "los experimentados". En aquellos tiempos, los resultados de esos encuentros eran notables.

Por ejemplo: al terminar una conferencia dada en Washington, D.C., una mujer se adelantó para hablarme de su experiencia:

Cuando yo era joven pasamos unas vacaciones en California. Desde antes del viaje yo sentía unos dolores muy fuertes en el costado derecho, que fueron empeorando durante esos días. Por fin mi esposo me llevó al hospital. El primer médico que me revisó dijo que tenía el apéndice a punto de perforarse. El segundo, que mi dolor era consecuencia de una infección. Un tercero lo atribuyó a un embarazo extrauterino. Sólo en una cosa estaban todos de acuerdo: era necesario operar inmediatamente.

Al abrirme descubrieron que el primer diagnóstico era el correcto. Se me había reventado el apéndice y ahora tenía en el estómago una gran infección, del tamaño de un melón pequeño.

Estuve hospitalizada por más de un mes, la mayor parte de ese tiempo en coma. Un día dijeron a mi familia que yo iba a morir. Se reunieron a mi alrededor, con la impresión de que los médicos decían la verdad: estaba atacada de neumonía, se me colapsaban las venas y me fallaba la respiración.

Oí todo lo que pasaba en el cuarto. Oí el llanto de mi familia, sus oraciones, las charlas de las enfermeras y el ir y venir de los médicos. Era como si estuviese bien consciente, pero sin poder reaccionar.

¡Y de pronto despegué! Fue como estar sobre una gran ola. Salí despedida ¡y era divertido! Cuando nos detuvimos estaba en un sitio tan real como la ciudad en la que estoy ahora. Supe lo que era: ¡estaba en el paraíso!

Caminé por una pradera de hierba verde y ondulante hasta que me encontré con un ángel. Medía más de dos metros de estatura. Caminamos juntos y se nos reunieron algunas personas conocidas que habían fallecido. Allí estaban mi tío abuelo y mi hermano mayor, que habían muerto en los últimos diez años. Nos reunimos con tanta naturalidad como si estuviéramos aquí, en la tierra.

El ángel y yo subimos por una colina. El abrió un hermoso portón y yo entré. Adentro me encontré con una luz amarilla muy intensa. En ese lugar no hay rótulos. Nadie me preguntó a qué iglesia pertenecía: simplemente, me invitaron a entrar. Contemplé una sala refulgente de luz y vi algo que me pareció la Luz del Padre. Era tan intensa que me vi obligada a apartar la vista.

Al hacerlo noté que la luz se reflejaba en un paseo de cristal, que cruzaba el centro de la ciudad. Vi muchas otras cosas, pero una de las más interesantes fue que las plegarias surcaban ese mundo celestial como rayos de luz. Fue bello ver en qué se convertían nuestras oraciones.

Esta mujer empezó a recuperarse casi de inmediato. Salió del coma y comenzó a hablar de lo que había visto. Se hizo venir al médico, que estaba en su casa. Con gran bochorno suyo, había firmado un certificado de defunción y ahora tenía que "desfirmarlo", tal como ella dijo. Al verlo entrar, la paciente se excitó mucho y quiso contarle lo que había visto. La asombró ver que el médico no se impresionaba.

Al terminar nuestra conversación, la mujer se echó a llorar.

—Cuando hablé de esto con mi médico, él me dijo: "querida, eso es algo que debe discutir con su pastor". Se lo conté a mi pastor y él me dijo: "querida, eso es algo que debe discutir con su médico".

Cuando contó eso los dos nos echamos a reír.

Hay muchos otros relatos. Un hombre de Chicago me contó esto:

> Tuve algo que debió de ser un abandono del cuerpo mientras me practicaban una cirugía de *bypass*. Más adelante los médicos me dijeron que, por lo difícil que fue hacer reaccionar el corazón, estuvieron a punto de darme por muerto.
>
> Lo que me ocurrió fue una experiencia muy vívida. Me vi transportado a un gran salón que relucía como el oro. A mi alrededor vi miles de caras, como si fueran cuadros que me rodeaban. Uno de ellos me llamó la atención y me acerqué a mirarlo. Era el rostro más bondadoso que jamás haya visto; como siempre he sido una persona religiosa, me gusta pensar que era el rey David o, quizás, el rey Salomón. Pero en realidad no sé quien era.
>
> El caso es que, mientras miraba ese retrato, oí un gran coro de miles de voces. Era la música más bella de cuantas había oído. Al volverme vi que, en verdad, eran miles de personas las que cantaban.

Para este hombre, esa experiencia fue una confirmación de que existía la vida celestial después de esta, pero otros la interpretaron de un modo muy diferente.

—Pocos días después conté a mi tía lo que me había ocurrido y ella se puso blanca como un papel —me contó el hombre—. "No lo comentes con nadie", me dijo.

"Cosas así sólo pueden ocurrirle a los que están en contacto con el diablo."

Un hombre de Atlanta sufrió un accidente de motociclismo que le dejó el hígado lacerado. La sangre manaba del hígado a la cavidad del cuerpo y empezó a perder la conciencia. Pasó algún tiempo antes de que el médico dejara de examinarle la cabeza, en busca de una conmoción cerebral, para descubrir que tenía una hemorragia interna. Cuando lo llevaron al quirófano había perdido tanta sangre que bien podía considerárselo muerto.

Cuando los médicos comenzaron a cortar, este hombre se encontró llevado hacia arriba, hacia una luz celestial. Al girar vio abajo su cuerpo y los médicos que trabajaban en él. Recuerda haber pensado que habría debido tener miedo, pero no era así.

—Una voz me repetía que no me alterara, que todo saldría bien —dijo—. Luego giré sobre mí mismo y me instalé de nuevo en mi cuerpo. Cuando se lo mencioné al médico, no apartó siquiera la vista del anotador en que estaba escribiendo. Se limitó a sonreír como si lo supiera todo y dijo: "Probablemente fue un sueño."

Los científicos están ahora de acuerdo en que las experiencias de muerte clínica no son sueños. El sueño se presenta a las personas que están dormidas y se asocian con ondas cerebrales específicas. Pero la aseveración de ese médico afligió al hombre, quien conocía muy bien la diferencia entre sueños y realidad. Lo que él experimentó era real. Sólo años después, rodeado por otros como él, pudo confirmar su realidad.

También se presentaban enfermeras. He descubierto que, si bien los médicos tienden a ignorar estas experiencias, las enfermeras las escuchan y las utilizan para ayudar a la curación de los pacientes.

Por ejemplo: una enfermera de California me habló de una cancerosa moribunda que tuvo una visión previa a la muerte. A los pies de la cama vio a su tía, que había muerto más de diez años antes. La mujer refulgía con una luz celestial; se la veía feliz y libre de dolores. "Pronto estaremos juntas", le dijo. Pocos segundos después desapareció.

Por la mañana, cuando el oncólogo hizo su ronda, la mujer le contó lo que había visto. Estaba entusiasmada por la visión y su significado; para ella confirmaba, claramente, que había vida después de la muerte. Tal como lo dijo la enfermera: "Esa visión era la única noticia buena que la paciente había tenido en seis meses."

El médico la escuchó con expresión impávida. Luego desechó el relato con un gesto de la mano. "Me parece que fue un sueño", dijo.

El rostro de la mujer perdió el entusiasmo. Cuando el médico salió, ella se hundió en la cama; su cabeza casi desapareció en la almohada. La enfermera acudió inmediatamente a rescatarla. Le puso otra almohada bajo la cabeza y expresó su opinión de que el médico era un tonto sin corazón.

—El no repara en cosas como estas porque no le interesan los pacientes, sino las máquinas —dijo—. A muchos pacientes en estas condiciones les ocurre este tipo de cosas. Creo que en ellas hay algo más que sueños.

Las dos mantuvieron una larga conversación sobre las visiones y la muerte.

—Antes de esa visión ella no había podido aceptar que se estaba muriendo —dijo la enfermera—. Pero entonces habló francamente del tema. Y su propio médico perdió la oportunidad.

Durante esas giras conocí a personas que habían pasado años atormentadas por la imposibilidad de compartir con nadie las potentes experiencias espirituales que habían tenido. Escuché relatos de horror de gente que era objeto de pullas por parte de su familia, por haber visto los mismos lugares celestiales que yo. Eran experiencias curativas, tanto para esas personas como para mí, porque finalmente estábamos juntos y comprendíamos.

Muchos de esos relatos me fascinaron tanto que empecé a anotarlos y acumulé varios casos por cuenta propia. He aquí algunos:

"LAS PUERTAS ESTABAN HECHAS DE PERLAS GIGANTESCAS"

En Chicago se me acercó una mujer; caminaba con esa rigidez que indica una lesión de columna. Después de presentarse y sin pérdida de tiempo, me dijo por qué había asistido a la conferencia:

> En un período muy breve perdí a mi hermana en un accidente de tránsito, mi mejor amiga murió y yo me fracturé la espalda; un automóvil chocó contra el mío desde atrás, a gran velocidad. Fue un milagro que no quedara paralizada por el accidente y más aún que no muriera durante la operación.
>
> Estuve en el quirófano por cuatro horas, para que me fijaran dos vértebras. Los médicos admitieron que me habían aplicado demasiada anestesia; el corazón se me detuvo varias veces durante la operación y aun después, en recuperación.
>
> En algún momento de todo esto pasé por un lugar oscuro y me encontré en presencia del Señor. ¡Estuve allí mismo!

Aunque a usted le cueste creerlo, estaba frente al portal del cielo. Las puertas estaban hechas de perlas gigantescas, doce perlas grandes que parecían refulgir. Detrás de esas puertas las calles tenían un color dorado y los muros de los edificios eran tan brillantes que apenas pude mirarlos.

Vi a una persona de luz; creo que era Jesús. Aunque no le vi la cara, refulgía gloriosa, furiosamente. Aunque no podía mirarlo, el fulgor era tan potente que yo lo sentía.

Fui a un jardín que estaba lleno de césped verde, flores y frutales. Si alguien arrancaba una manzana, por ejemplo, la fruta volvía a crecer de inmediato.

Caminé por ese jardín, viendo a otros seres espirituales como yo. ¡De pronto vi a mi hermana! Fue maravilloso. Conversamos por largo rato; ella me contó lo feliz que era en ese lugar, que supongo era el paraíso.

Pasamos largo rato juntas, conversando y escuchando la música celestial que brotaba de todas partes. Todo era bello y apacible; naturalmente, yo quería quedarme.

Al cabo de un rato tuve que volver y hablar con esa persona que parecía ser Jesús. El me dijo que me amaba y que yo debía regresar. Respondí que deseaba quedarme, pero él explicó que yo debía volver a la tierra, para hacer algo por él.

Quise saber qué debía hacer, pero él no me lo dijo directamente. Sólo dijo: "Sabrás de qué se trata a cada paso del camino."

Para esta mujer fue un alivio conocer a otros que habían estado en ese lugar celestial. Su esposo estaba harto de oírle hablar de su experiencia; su pastor hacía sinceros esfuerzos por distanciarse de ella. Siempre estaba "muy ocupado en otras cosas" y no tenía tiempo para dedicarle.

—Desde que le conté lo ocurrido no quiere saber nada de mí —dijo ella—. Pero ya no me siento ofendida. Me doy cuenta de que la gente, en su mayoría, no comprende.

"HE RECIBIDO RESPUESTAS A MIS PREGUNTAS"

Una anciana a la que conocí en el Oeste medio también se sentía incomprendida. Me narró con gran vivacidad su "viaje al cielo". Dada su vitalidad y su inteligencia, me sorprendió saber que había sufrido ataques múltiples y tenía el corazón débil. He aquí su relato.

> Me habían llevado a un hospital de Michigan porque sufría ataques que me estaban provocando convulsiones. Mi corazón no pudo resistir esas convulsiones y se detuvo. Por un minuto sentí el dolor del paro cardíaco; luego me invadió una sensación de paz y vi una luz a mi derecha.
> Esa luz me atraía como el imán al metal. Al acercarme más y más sentí que el amor y la comprensión crecían en mí a tal punto que creí estallar.
> En esa zona iluminada había un espíritu hecho de luz increíble; creo que era Jesús.
> Fui abrazada directamente por esa luz. Era una sensación maravillosa, como ser abrazada por mi padre, que me amaba sin pensar en lo que yo hiciera. Así era ese amor.
> Y la luz era más que luz. Estaba compuesta de millones de diminutas chispas parecidas a diamantes, que refulgían y tenían sentimientos. Supe que yo era parte de esa luz.

Me encontré en un lugar cubierto de hierba, como una encantadora pastura. Allí encontré a mi abuela, que murió cuando yo era pequeña. También encontré a mi tío, al que perdimos durante mi adolescencia.

En un abrir y cerrar de ojos abandoné la pastura y estuve nuevamente con Jesús. El me dijo: "¿Qué has hecho por tu prójimo?" Lo dijo como pregunta, pero en ella había también una especie de respuesta: que yo volvería a la tierra para hacer realmente algo por mi prójimo.

Las personas a las que he contado esto insisten en que debió de ser un sueño, pero se trataba de algo muy diferente. He tenido sueños y reacciones a las drogas. Eso era distinto. Era real.

"QUERIA SER PARTE DE ESA LUZ AMANTE"

En el sur conocí a una joven encantadora, quien dijo que comprendía perfectamente lo que me había ocurrido, por haber pasado por lo mismo. Años antes, durante su embarazo, había estado a punto de morir por un dolor al que ella no prestó atención y que resultó ser algo grave.

Cuando estaba en el sexto mes de embarazo empecé a sentir un dolor bajo el pecho derecho. Pensé que era simple acidez, bastante frecuente en las embarazadas. Pero fue empeorando; cada vez tardaba más en pasar.

Una noche desperté con un dolor tan fuerte que apenas pude contener el llanto. Fui al cuarto de baño y traté de sentarme en posiciones diferentes, pero nada me aliviaba. Lo último que recuerdo fue haberme sentado en el borde de la bañera. Luego perdí el sentido y caí hacia atrás.

Sentí que estaba fuera de mi cuerpo y que iba a mil kilómetros por hora, subiendo por un túnel. Dejé atrás varias luces, dirigiéndome hacia una muy intensa, que brillaba cada vez más. Luego me detuve.

No quería entrar en esa luz, pero me bastó detenerme frente a ella para sentir algo apacible y gozoso que no es fácil explicar. A lo sumo puedo decir que deseaba quedarme y ser parte de esa luz, sin que me importara otra cosa.

No oí ninguna palabra, pero una voz me dijo que debía regresar. Quise discutir, y la voz me recordó, con mucha suavidad, que dentro de mí había alguien y que por él debía regresar. Aun así quise quedarme; entonces sucedió otra cosa. La luz me hizo sentir lo que sentiría mi esposo si yo muriera. Por esa causa experimenté una gran tristeza y el deseo de regresar.

Cuando desperté estaba en la sala de recuperación de nuestro hospital. Se me había reventado la vesícula biliar y estuve a punto de morir. Por suerte no fue así y mi hijo nació con buena salud.

Por entonces eran pocas las personas que comprendían las experiencias de muerte clínica. Generalmente quienes las habíamos tenido nos sentíamos descastados. No fue ese el caso de esta mujer, cuyo esposo creyó en su relato; como resultado, la relación entre ambos se tornó más fuerte que nunca.

"AUN NO ES TIEMPO DE QUE SE VAYA"

Si las experiencias de muerte clínica son desconcertantes para los adultos, ya es posible imaginar la confusión que se produce en la mente del niño que, tras sobrevivir, cuenta a sus padres su viaje a la luz. Una mujer de Virginia me narró la siguiente experiencia:

A los ocho años se me reventó el apéndice. Me llevaron a la sala de emergencias del hospital, donde el asustado médico dijo a mis padres que yo iba a morir. Lo oí porque lo dijo estando de pie a mi lado.

De cualquier modo operaron. Me dieron éter y me desmayé. Luego volví en mí. Estaba flotando por sobre mi cuerpo mientras los médicos me cortaban el abdomen.

—¡La perdemos, la perdemos! —repetía uno de ellos.

Yo estaba entusiasmada; fuera lo que fuese, aquello me gustaba. De pronto me encontré viajando por un túnel oscuro, rumbo a una luz que se veía en el otro extremo. Acabé en un lugar hermoso, con una luz grande e intensa que era muy bella y no me irritaba los ojos en absoluto.

Al mirar a mi alrededor vi a gente que no conocía. Hubo un silencio; luego oí en la cabeza la voz de una señora que decía: "No, no, aún no es tiempo de que se vaya. Debe regresar."

—No quiero regresar —pensé.

—Debes hacerlo —dijo la voz—. Tienes una buena vida por delante.

Más tarde, cuando conté todo esto a mi padre, se puso pálido y muy nervioso. "No se lo digas a nadie", recomendó. "Será un secreto entre tú y yo." Y no se lo dije a nadie, pero la experiencia me ha acompañado todos los días desde que ocurrió. Supuse que algo andaba mal en mí hasta que me enteré de que otras personas habían tenido experiencias parecidas. Por fin puedo hablar francamente de la mía.

"LO QUE ESTAS HACIENDO ES UN ERROR"

Muchas personas contaron que su experiencia de muerte clínica las había transformado, pero uno de los casos más asombrosos es el de una mujer de Washington, D.C., que intentó matarse. He aquí su relato:

Cuando era adolescente decidí matarme porque mi tío me acosaba sexualmente. Tragué un puñado de píldoras y salí al patio. Estaba muy alterada; caí de rodillas y me eché a llorar. Luego me sentí mareada y caí de costado. Fue entonces cuando oí una voz. Estaba anocheciendo. Miré a mi alrededor para ver quién hablaba. Allí, de pie a mi lado, estaba mi abuela. Se había matado años antes por sufrir de una dolencia cardíaca crónica.

Me miró y fue directo al grano.

—Lo que estás haciendo es un error —dijo—. No debes matarte.

El sitio donde ella se encontraba estaba muy oscuro, tal vez porque junto a ella había un punto que se iba haciendo muy luminoso, como si un tren viniera por un túnel. La luz me levantó y me estrechó contra sí.

—No te ha llegado la hora —dijo—. Hay cosas que debes hacer por mí.

Entré tambaleándome y llamé a la policía, que me salvó. Sólo hablé de la experiencia con amigos íntimos, pues ¿quién más podía entenderme? No creía que hubiera otros como yo.

La experiencia de esta mujer le cambió la vida en muchos sentidos. Según dijo, de algún modo la ayudó a ver un panorama más amplio. Comprendió que, si bien no podía cambiar lo que ya había ocurrido en su vida, el futuro era una pizarra en blanco. Sus calificaciones escolares mejoraron y comenzó a trabajar como voluntaria en hogares para convalecientes. Ahora es enfermera diplomada. "Si elegí una profesión de servicio fue específicamente debido a mi experiencia de muerte clínica", me dijo.

"TE ACOMPAÑARE"

Muchas personas que han estado a punto de morir dicen haber visto a familiares fallecidos. Si no ocurrió conmigo fue, supongo, porque yo no había perdido a ninguno muy cercano. Pero en Florida conocí a una mujer que, en su experiencia de muerte clínica, vio a varios familiares difuntos, incluido un hijo que había nacido muerto.

Durante el parto estuve a punto de morir. Con todo ese forcejeo se me rompió un vaso sanguíneo y mi tensión descendió bruscamente. Sufría mucho, pero de pronto me encontré fuera del cuerpo, flotando por sobre él. Por un rato observé a los médicos; luego empecé a elevarme hasta que dejé el techo abajo y pude ver los cables.

Después subí por una cueva y, al final, me encontré con varias personas que tenían el mismo aspecto que yo. Vi a mis abuelos, que habían muerto hacía años, y a un tío al que mataron en la guerra de Corea. Luego se me acercó un joven; un niño, en realidad, que me dijo: "Hola, mamá." Caí en la cuenta de que era un hijo que había nacido muerto, algunos años antes.

Conversé con él por un rato y me sentí muy feliz de que estuviera allí, con sus parientes. Luego él me tomó de la mano y dijo:

—Ahora tienes que regresar. Te acompañaré.

Yo no quería volver, pero él insistió. Caminó conmigo y me dijo adiós. Al fin me encontré de nuevo en mi cuerpo.

¿A quién podía contarle eso? ¿Quién iba a creerlo? Mi esposo no querría siquiera escucharme, de modo que no se lo dije. Pero ahora puedo hablar, sabiendo que otros han visto esas cosas.

Aunque conocí a cientos de personas que habían tenido experiencias de muerte clínica, muy pocos vieron todas las cosas que yo vi. La mayoría llega a lo que considero el primer plano, donde sube por el túnel, ve a los Seres de Luz y pasa por una revisión de su vida. Muy pocos llegan a la ciudad de luz y al salón del conocimiento.

Uno de estos fue un hombre que había tocado un cable de trece mil voltios sin descarga a tierra. La descarga resultante le hizo volar ambas piernas y un brazo. Después de asistir a una conferencia de Raymond habló conmigo. La vida posterior que experimentó era igual a la mía. Dijo haber cruzado ríos de energía con un Ser de Luz. Aunque no tuvo visiones del futuro, como yo, visitó una ciudad de luz que tenía las mismas catedrales refulgentes y una sensación de conocimiento omnipresente, tal como yo la experimenté.

Más adelante traté de que me diera más detalles pero no quería hablar mucho de lo ocurrido. Era, por naturaleza, más reservado que yo; además, lo habían acobardado los escépticos que, al oír su relato, insistían en que eso no podía ser.

Aun así me empeñé en hacerle hablar de su experiencia, pero no logré nada. No pude romper el hielo, como solía hacerlo en otros casos. Además, el hombre estaba tomando una considerable cantidad de calmantes para el dolor, lo cual lo hacía aun menos comunicativo.

Durante ese período me encontré con otras personas que habían estado en la ciudad de las luces. Uno era un mormón que conocí en Salt Lake City, cuyo relato era casi idéntico al mío. El vio a los Seres de Luz y las catedrales gloriosas, pero no hablaba de "espíritu ni de "Seres", sino de "ángeles", y se refirió a las catedrales llamándolas "tabernáculos".

En Chicago conocí a una mujer que, cuando niña, había sido alcanzada por un rayo; vestía bien y se la notaba muy cuerda y serena. Describió su llegada a la ciudad de luz y la presencia de Seres espirituales que parecían los mismos con quienes yo había dialogado.

Según dijo, los Seres le enseñaron un sistema de colores. Desde entonces, todo cuanto hacía se basaba en sus intuiciones sobre el color. Para comprar un auto, para vestirse por la mañana y hasta para decorar su oficina, se basaba en algún esquema de colores que le había sido dado por los Seres de Luz. No comprendí exactamente cómo funcionaba este sistema, pero ella me dijo que el resultado era unirla con otros que, como ella, habían estado en las catedrales de luz.

—Se supone que debemos unirnos para algo grandioso —dijo—. No sé qué es, pero lo sabré cuando nos reunamos.

De pronto me encontraba entre personas que no conocían las experiencias de muerte clínica sólo de oídas, sino por haberlas vivido como yo. Conocerlas fue un gran alivio. Era casi como emerger a la superficie después de haber sido retenido bajo el agua por una mano invisible.

Estos encuentros confirmaban la realidad de lo que me había ocurrido. Quizás una sola persona, yo mismo, habría podido soñar aventura tan magnífica. Pero ¿era posible que muchas personas, en diferentes partes del país, tuvieran el mismo "sueño" complejo en el momento de la extinción personal? Para mí, la respuesta era claramente "no". En verdad habíamos muerto y visitado un mundo espiritual. La única diferencia entre eso y la visita a un país lejano era que nosotros lo hacíamos sin llevar el cuerpo mortal.

Conocer a esas personas sirvió también para convencerme de que no estaba loco. Como el lector sabrá a estas horas, esa fue desde el principio una preocupación para mí, como para casi todos los "experimentados" que ahora conocía. Comenzamos a comprender que no éramos dementes, sino especiales. Esta sensación de ser especial surgía al comprender que no éramos los únicos. En vez de vivir avergonzados o humillados, de pronto nos sentíamos a gusto con lo nuestro.

Debería mencionar que, entre los mormones, quienes habían vivido estas experiencias no se sentían chiflados. Puesto que la vida posterior es parte de su doctrina religiosa, ellos reciben de buen grado los testimonios de cuanto se haya visto y oído al otro lado.

En 1977 fui a España, para integrar un panel de personas que habían sobrevivido a la muerte clínica. Los integrantes provenían de distintas partes del mundo: Europa, Estados Unidos y Asia. Como todos narrábamos cosas similares, comprendí que se trataba de una experiencia universal.

Junto con la confianza en mi propia cordura, me fortalecí en la convicción de que tenía una misión verdadera: construir los centros. En esencia, esa misión era mi mensaje. No tenía ningún deseo de hacer esas cosas, pero sólo un tonto podía resistirse a un mandato de Dios.

Nunca me encontré con otra persona que hubiera recibido un encargo parecido. Tampoco sé de alguien que haya comparecido ante los trece Seres de Luz para que se le presentara el futuro, de a una caja por vez. Cuando me reunía con otros, yo era el único que contaba eso.

Aun así sabía que era real. Partes de la visión comenzaban a cumplirse; en el mundo estaban ocurriendo cosas sutiles que parecían indicadoras de que también el resto de mis visiones se harían realidad. Mi confianza crecía; me sentía psicológicamente más fuerte.

—Somos personas normales —recuerdo haber dicho en un panel de debate—. Somos personas normales a las que nos ocurrió algo paranormal.

Aunque todavía presentaba lesiones por el ataque del rayo, me sentía cada día más normal.

Fue entonces cuando hice un descubrimiento que me impresionó de verdad.

11

Poderes especiales

No hubo una "primera vez" en que yo descubriera mis poderes psíquicos. Caí en la cuenta de que estaba ocurriendo algo extraordinario el día en que un amigo me ladró:

—Dannion, ¡por qué no cierras la boca y me dejas terminar las preguntas antes de responderme!

La respuesta me brotó de inmediato.

—Porque sé lo que me vas a preguntar antes de que lo hagas.

—¡No es cierto! —ladró mi amigo, otra vez.

—Mira, probemos —propuse.

Y le dije su siguiente frase. Quedó boquiabierto, porque eso era exactamente lo que iba a decir. Después, mientras él hablaba, yo lo hice al unísono, como si hubiéramos practicado, diciendo lo mismo que él y al mismo tiempo.

Comencé a experimentar este fenómeno con mis

familiares. Llegué al punto de responder a sus preguntas antes de que ellos las formularan. No sé cómo lo hacía. Simplemente "oía" lo que iban a decir antes de que lo hicieran. Eso me sorprendía tanto como a mi desconcertado interlocutor, quienquiera fuese.

Recuerdo haberlo hecho, cierta vez, en un seminario donde se me había invitado a comentar mi experiencia. Cuando la gente se me acercaba para hablarme, yo iniciaba la conversación respondiendo a la pregunta que iban a hacerme antes de que hubieran pronunciado una palabra. Esto sorprendía a algunos, que se volvían hacia quienes los rodeaban, diciendo: "Me leyó el pensamiento."

Mi padre, que también estaba allí, no podía creerlo. Me había visto hacer lo mismo, pero nunca en un ambiente compuesto por completos desconocidos. En cuanto yo terminaba de hablar con alguien, él acorralaba a esa persona para preguntarle si en verdad yo le había leído el pensamiento. Nueve de cada diez personas aseguraban que sí. Cuando salimos, mi padre estaba aturdido y confuso.

—¿Cómo diablos lo haces? —preguntó.

—No lo sé. —Me encogí de hombros.— De veras, no lo sé.

Era cierto. Ignoraba que esas preguntas no habían sido formuladas. Oía las palabras en mi cabeza con tanta claridad como si mi interlocutor las hubiera formulado.

Cuando me di cuenta de lo que ocurría, traté de sintonizar el pensamiento de la otra persona. Descubrí que, si esta vacilaba al hablar, esto solía ser indicación de que estaba cambiando el curso de sus pensamientos. En ese instante podía captar sus ondas mentales y oír lo que pensaba.

Mi facultad de leer la mente mejoró con celeridad. Tanto, en verdad, que estuvo a punto de arruinar ciertas negociaciones comerciales. Entonces comprendí que, a veces, me convenía callar las cosas que escuchaba.

Mis tres socios y yo estábamos tratando la compra de ciertos equipos electrónicos con miembros de una empresa naviera noruega. Después de trabajar algún tiempo en esa operación, tres funcionarios de la empresa viajaron desde Noruega a Carolina del Sur para fijar los detalles del acuerdo.

Cuando nos sentamos con los noruegos ante la mesa de negociaciones, estos comenzaron a hablar entre sí en su propio idioma. Estaban decidiendo qué preguntas nos formularían para luego traducirlas al inglés. Mientras ellos discutían en su lengua materna, luchando con lo que debían decir, levanté súbitamente la voz:

—Lo que ustedes desean preguntar es... —Y formulé la pregunta por ellos.

Nuestros visitantes rieron con nerviosismo y pasamos a discutir la primera parte del contrato sobre la cual tenían sus dudas.

Luego volvieron a hablar en noruego entre sí; yo comprendía perfectamente su idioma leyéndoles la mente y, una vez más, les dije lo que estaban pensando.

—Suponíamos que usted no hablaba nuestro idioma —dijo uno de los noruegos.

—Y no lo hablo —dije. Entonces procedí a contarles mi historia.

Hubo incredulidad en las caras de todos los presentes. A los noruegos les costaba creer que una persona pudiera adquirir poderes extrasensoriales por la descarga de un rayo. A mis socios no les cayó bien que yo mencionara mi experiencia en medio de una seria negociación comercial. Temían que semejante conversación arruinara el trato.

—A nadie le gusta que le lean la mente —objetó uno de mis socios—, mucho menos cuando se está negociando un contrato.

Lo comprendí perfectamente y decidí que, desde entonces en adelante, no revelaría lo que supiera durante las negociaciones comerciales. Pero eso no me impedía utilizar mis poderes para evitar que alguien se aprovechara de mí.

En una de mis empresas electrónicas decidimos comprar un producto a cierto vendedor nuevo. Mis socios y yo sentíamos simpatía por ese hombre, quien fabricaba el componente que necesitábamos para nuestro sistema de enmascaramiento. Fuimos a cenar con él y luego a beber algo; ninguno de nosotros sospechaba nada malo, incluyéndome.

Sin embargo, todo eso cambió cuando nos sentamos a negociar la operación. Cuando hablamos de precios, cierto tono de su voz me hizo desconfiar. Al escucharlo recibí la imagen de un cuarto lleno de los productos que íbamos a comprar. Al inspeccionar mentalmente ese cuarto, caí en la cuenta de que la mayoría de esos componentes eran defectuosos. ¡Ese hombre intentaba librarse de su chatarra!

Antes de firmar el contrato revelé a mis socios lo que había visto. En la última ronda de negociaciones logramos insertar una cláusula que nos permitiría recuperar el valor de todas las partes que no funcionaran. El hombre tuvo que aceptar en devolución más del sesenta por ciento de los componentes; en verdad había tratado de vendernos mercadería de mala calidad.

Durante ese período se me presentó otra facultad extraordinaria.

No sé cómo describirlo, salvo diciendo que comencé a ver "películas". Miraba a una persona y de pronto veía fragmentos de su vida, como si estuviera mirando una película casera. Otras veces, al tomar un objeto ajeno, veía escenas de la vida del propietario. En ocasiones tocaba algo viejo y tenía visiones de la historia de ese objeto.

Por ejemplo: en 1985 viajé a Europa para ayudar a

Jacques Cousteau a reunir equipos electrónicos marinos para uno de sus proyectos. Durante mi estancia allá volé a Londres para visitar a un amigo. Mientras caminábamos por la ciudad, me detuve frente al Parlamento para acomodarme el zapato y, al hacerlo, apoyé la mano en una barandilla. De pronto percibí olor a caballos. Miré a mi izquierda; no había nadie allí, pero yo oía el bullicio de niños jugando. Al mirar hacia la derecha, frente al Parlamento, vi que algunas personas, vestidas a la usanza del siglo pasado, jugaban al croquet. A mi lado, por la derecha, un caballo estaba orinando. Quise decir algo a mi amigo, pero ya no estaba allí. En su lugar pasaban por la acera personas vestidas según la moda del siglo XIX y con sombreros Derby.

Me asusté y no supe qué hacer. Allí estaba yo, en el invierno londinense, pero esa gente jugaba al croquet y lucía anticuadas ropas de primavera. No podía soltar la barandilla, por mucho que lo intentara.

Mi amigo comprendió que estaba en una especie de trance y trató de hablarme. Como yo continuaba mirando a mi alrededor, sin responder, me arrancó la mano de la barandilla. Aquello terminó tan súbitamente como había comenzado.

—Estaba viendo esta zona tal como era antes —dije—. Vi la Londres del siglo diecinueve.

No era la primera vez que me ocurría algo así. Justo después de haber sido fulminado por el rayo, cuando alguien se acercaba a mi cama de hospital para tomarme la mano, yo me encontraba súbitamente en el lugar de esa persona, en determinada situación. Por ejemplo, la veía reñir con alguien de su familia, aunque no supiera a qué se debía la pelea, experimentaba el dolor o el enojo de esa persona.

Cierta vez me visitó una íntima amiga de la familia, que me puso una mano en el antebrazo. De pronto se inició la "película". La vi sentada ante una mesa de comedor, discutiendo con sus hermanos por una parcela que alguien les había dejado en herencia. Ella ofrecía comprar las partes de sus hermanos por una pequeña suma de dinero, sabiendo perfectamente que valía mucho más. Estaba tratando de engañarlos. Más adelante conté lo que había visto a ciertos familiares suyos y aquello resultó ser verdad.

En otra ocasión vino un amigo que tenía cálculos renales. Cuando entró en el hospital yo ignoraba su problema pero, en cuanto me puso la mano en el hombro para despedirse, lo vi acurrucado en el sofá de su sala, retorciéndose de dolor mientras esperaba despedir sus cálculos.

Le dije lo que había visto y quedó estupefacto.

—Eso es exactamente lo que ocurrió. Por fin, la otra noche los despedí.

Desde el comienzo mismo noté que, en esos destellos psíquicos, dominaban las crisis y las situaciones tensas. Si alguien había reñido con sus hijos o su cónyuge, eso era lo que yo veía en mis "películas caseras". Accidentes de tránsito, novias enojadas, malas situaciones familiares, conflictos en la oficina, enfermedades y otras formas de tensión: todo eso constituía siempre el punto focal de mis visiones. Así continúa siendo.

Una vez, por ejemplo, vendí un automóvil a un simpático hombre de unos cincuenta y ocho años; sus dedos gruesos y fuertes revelaban que había hecho trabajos manuales por muchos años. Antes de cerrar trato conversamos un poco sobre el auto, sin que él sugiriera en ningún momento que hubiera algún problema en su vida personal. En cuanto él se decidió a comprar el coche, nos estrechamos la mano. Entonces vi que algo estaba muy mal.

De pronto me encontré en su sala, el día anterior, en medio de una gran disputa con sus hijos adultos. Sentí su enojo al ver que sus hijos lo acosaban sin misericordia con respecto a un edificio de apartamentos, propiedad del padre. Ellos querían que lo vendiera para dar una gruesa suma de dinero a cada uno. Por su parte, él deseaba introducir algunas mejoras en la propiedad, para seguir alquilando los apartamentos y utilizar ese dinero para su jubilación.

Por debajo de la conversación había mucha codicia y muy poca consideración hacia el padre. Este sabía que sus hijos pensaban sólo en sus propios bolsillos; la conversación derivó muy pronto en un salvaje combate familiar, que lo dejó colérico y dolorido.

Yo pude ver todo esto. De pie en mi patio, con ese hombre tan agradable, experimenté una gran simpatía hacia él y decidí hacerle saber lo que sentía.

—Espero que esto no lo asuste demasiado —le dije—, pero yo leo la mente.

Entonces le describí lo ocurrido el día anterior y las dolorosas emociones que habían acompañado a la reyerta.

—Estoy con usted —manifesté—. Ellos no han hecho nada por ayudarlo a cuidar de esa propiedad, pero ahora quieren robársela. Es una vergüenza.

Al salir de mi casa llevaba algo más que un auto nuevo. Al principio se asustó, pero después de conversar un poco sobre el incidente experimentó un gran alivio.

—Por lo general no suelo hablar de mis asuntos personales —reconoció—. Esta vez no tuve alternativa.

Al descubrir estas facultades paranormales, comencé por utilizarlas de una manera que ahora me parece deshonesta. Era difícil ganarme con los naipes, pues yo siempre sabía lo que los otros jugadores tenían en la mano. Podía predecir qué canción iba a transmitir la radio, acertando ocho veces de cada diez. Y en cierta ocasión predije correctamente el equipo ganador de ciento cincuenta y seis partidas de fútbol corridas, acertando también con el puntaje en un ochenta por ciento de los casos.

Pronto me sentí culpable por utilizar así esos poderes. Tenían algo de don divino que los hacía sagrados. Abruptamente dejé de apostar y comencé a buscar una manera positiva de aprovechar mis facultades psíquicas. En vez de apostar, que no era espiritualmente satisfactorio, aconsejaba a otros apostadores que buscaran actividades más elevadas.

Utilizar las facultades psíquicas para establecer contacto espiritual con alguien suele requerir un enfoque suave. (Si uno sólo quiere hacer trucos de salón, lo mejor es el ataque frontal, pues el objetivo es sorprender.)

Por ejemplo: cierta vez, estando en un restaurante, noté que mi camarera tenía el aspecto agotado de quien lleva varias noches de mal dormir. Presentaba profundas arrugas en la frente y se la veía irritada y nerviosa.

Promediando la comida se acercó para volver a llenarme la taza de café. Al hacerlo apoyó la mano en la mesa y, de ese modo, tuve oportunidad de tocarle la mano. Al hacerlo, la "película casera" comenzó de inmediato.

Vi a esa mujer hablando con un hombre mayor. Estaban de pie en una calle y ella trataba de tomarle la mano. Resultaba obvio que él no tenía interés. Mientras la mujer hablaba, el hombre apartaba la vista a cada momento para contemplar la calle o los coches que pasaban: cualquier cosa, con tal de no mirarla.

Por un momento fui esa mujer. Sentí su dolor al saber que su relación con él estaba acabada. La escena y el conocimiento surgieron en un relámpago y desaparecieron.

Cuando ella regresó para entregarme la cuenta la detuve para decirle:

—Mira, no todos los hombres mayores son tan estupendos como se dice. A veces los pierdes, hagas lo que hagas. Tú no tienes la culpa. Lo intentaste todo y crees haber hecho el papel de tonta. En realidad él no te merecía, bien lo sabes.

La camarera se alarmó ante esa penetración psicológica en su vida. Me miró como si estuviera ante el diablo. Al comprender que yo era inofensivo, volvió a mi mesa.

—Tienes razón —dijo, sentándose. Y en los pocos minutos que pudimos pasar conversando, se revitalizó ante mis propios ojos.

Cuando este tipo de hechos se tornó frecuente, hablé de eso con Raymond. Mientras comíamos en un restaurante de Georgia, le dije que podía leer la mente. Fue obvio que no me creía. Cuando me preguntó cómo funcionaba, me encogí de hombros.

—No sé cómo sé las cosas que sé, Raymond —dije.

Le conté que podía ver escenas de la vida de una persona, a la manera de una película. Le di algunos ejemplos, pero él seguía mostrándose escéptico.

—Está bien —propuse, algo enfadado—. Elige a alguien de este restaurante y yo le leeré la mente.

El escogió a nuestra camarera, que en ese momento pasaba junto a la mesa. Le pedí que se detuviera y le tomé la mano. La "película" se inició de inmediato. En la primera escena la vi discutir furiosamente con su novio. Estaban sentados a la mesa de una cocina y reñían de verdad. Vi que él recogía su abrigo y se marchaba. Luego apareció otro fragmento de película en el que vi al novio de la mano de otra mujer, una rubia de pelo largo y rizado, de linda naricita respingona. Por fin apareció una breve escena en la que esa rubia de pelo largo estaba de pie ante un mostrador, con la camarera.

Le describí lo que había visto. Ella se mostró asustada y furiosa al mismo tiempo: asustada de mí y furiosa con su novio.

—Ya sabía yo que estaba pasando eso —manifestó—. Mi novio sale con mi mejor amiga. Cada vez que lo acuso, él lo niega y se va. La otra noche salí con mi amiga y se lo pregunté, pero ella también lo niega.

Como aún había dudas en los ojos de Raymond, le pedí que escogiera a otra persona. En el apartado contiguo, una mujer había estado escuchando disimuladamente nuestra conversación, con gran interés. Raymond se presentó y le preguntó si le molestaría darme la mano en aras de la investigación.

Cuando ella lo hizo, en mi mente surgió otra "película casera". Vi a esa mujer en un patio, con una anciana. Estaban alegres y reían, pero la risa parecía forzada, como si trataran de olvidar algo atemorizante. La escena siguiente mostró a las dos mujeres sentadas en el interior de una casa. La del restaurante lloraba y la anciana parecía preocupada. Capté que la anciana estaba enferma y la más joven temía que fuera una enfermedad fatal.

Solté la mano a la mujer y le dije lo que había visto. Con los ojos húmedos, me explicó que su madre tenía cáncer. Naturalmente, ella estaba preocupada; lo que yo describía era una escena repetida cada vez que ella y su madre hablaban francamente del futuro.

Escogí a cinco personas más y les dije cosas diversas: dónde vivían, qué tipo de coche conducían, quiénes eran sus amigos, en qué situación financiera estaban y qué clase de problemas tenían.

Estas personas reaccionaron de diferentes maneras. Dos de ellas se limitaron a cubrirse la boca con la mano, ahogando una exclamación. Una, enfadada, me ordenó callar. Otra quiso saber más; la quinta, enrojeciendo, dijo que se sentía súbitamente desnuda.

Por fin Raymond se convenció de que estaba ocurriendo algo realmente extraordinario. Pero no pudimos comprender cómo ni por qué. Eso resultó bastante difícil para mí, que debía vivir con estas facultades.

Tal como dije a Raymond, no comprendo por qué puedo ver estas "películas caseras" de la vida ajena ni por qué oigo las preguntas antes de que me las formulen.

Más aún: no siempre me gusta. Tener facultades psíquicas significa tener acceso a los sitios más delicados de una persona, esas partes de su vida que más protege de la vista ajena. A veces es bueno "ver" esas cosas, pues proporciona a la gente la oportunidad de hablar con libertad de aquello que la hace sufrir.

El problema es que no siempre queremos hablar de lo que nos hace sufrir, mucho menos con un desconocido que nos dice cosas de las que no debería estar enterado. Me han acusado de ser investigador privado, fisgón maniático y ladrón; hasta han supuesto que tenía acceso a los archivos secretos del gobierno. He sido amenazado y hasta golpeado por gente que no quería verme husmeando en sus asuntos.

Francamente, no puedo criticarlos. Antes de saber que podían ocurrir estas cosas, me habría sentido muy inquieto si un desconocido me hubiera leído correctamente los pensamientos. Si bien ahora sé que lo mío puede alterar a algunas personas, no puedo impedir que suceda.

Si existe algún consuelo para las facultades psíquicas es que también las poseen otros que han pasado por la experiencia de muerte clínica. No me refiero sólo a la experiencia en sí, que es un intenso acontecimiento psíquico, sino a lo que ocurre después de eso. Nunca he conocido a una persona que, después de esa experiencia, no tenga momentos de precognición o poderes intuitivos muy desarrollados. Se explica, pues las personas que han pasado por la experiencia de muerte clínica han visto descomponerse la naturaleza en la esencia misma de la vida.

Cientos de estos experimentados han dicho haber vivido sucesos psíquicos. Cierta vez hablé con un ruso que fue atropellado por un auto y enviado a la morgue. Pasó tres días en un cajón refrigerado; durante ese tiempo, su espíritu abandonó el cuerpo y vagó en libertad.

Fue a su hogar y vio a sus hijos; luego visitó el apartamento vecino, donde el bebé de un año no cesaba de llorar; sus padres lo habían llevado varias veces al médico, pero nadie podía descubrir qué tenía. El espíritu del hombre pudo comunicarse con el niño y descubrir que tenía una fisura en la pelvis.

Se descubrió que el hombre estaba vivo apenas antes de que el patólogo iniciara la autopsia. Lo enviaron al hospital, donde su recuperación física fue completa; en cambio, no lo creían repuesto en lo psicológico. Insistía en decir que había viajado fuera de su cuerpo, visitando a parientes y amigos. Por fin pidió que le trajeran a sus vecinos y al niño que lloraba. Dijo que, mientras estaba "muerto" había hablado con el niño y que este lloraba porque tenía una fractura imperceptible en la pelvis. Una radiografía demostró que el hombre estaba en lo cierto.

—Todo aquello fue una experiencia psíquica —dijo el ruso—. Desde entonces no me entiendo a mí mismo.

Fue el coautor de este libro quien me contó el ejemplo más interesante de poderes psíquicos surgidos de una experiencia de muerte clínica. En 1979, un investigador de Mesa, Arizona, llamado Frank Baranowski, tuvo oportunidad de entrevistar en el Vaticano a un obispo cuyo corazón se había detenido por varios minutos, como resultado de un ataque cardíaco. Su experiencia de muerte clínica extrañó tanto a sus compañeros eclesiásticos que lo hicieron visitar en su lecho por el papa Juan Pablo.

El Papa preguntó al obispo si había visto a Dios. El enfermo no estaba seguro. Había sido recibido al final del túnel por un desconocido que lo acompañó hasta una luz intensa y amorosa. Toda la experiencia fue muy simple, según contó al Papa, pero al regresar atravesó los muros del Vaticano y entró en el vestidor de Juan Pablo.

—¿Cómo estaba yo vestido? —preguntó este.

El obispo describió a la perfección las prendas que el Papa se había puesto para los servicios de esa mañana.

Recobrada la salud, las experiencias psíquicas continuaron. Supo predecir varias cosas, incluidos los ataques cardíacos de otros dos funcionarios eclesiásticos.

Esas experiencias psíquicas y las de otros como él ¿fueron causadas simplemente por una mayor intuición? No lo sé. Estoy seguro de que la idea misma de los poderes psíquicos parece descabellada para la mayoría. Es mi caso, por cierto. Me cuesta comprender aun lo que me sucede a mí: cómo pudo ser que el choque de un rayo en la cabeza y un viaje a cierto mundo espiritual pudo hacerme psíquico.

He pensado cientos de veces en esto y aún no le encuentro sentido. ¿Es posible que una experiencia de muerte clínica desarrolle facultades extraordinarias en un ser humano, permitiéndole leer la mente y ver el futuro? Antes de que eso me ocurriera a mí, la sola idea me habría hecho reír, al igual que la posibilidad de la misma experiencia de muerte clínica. Pero ahora es en mi mente la cuestión principal.

Por suerte, en años recientes otros se han hecho la misma pregunta y han hallado algunas respuestas notables. En 1992, el doctor Melvin Morse publicó los resultados de un importante estudio sobre experiencias de muerte clínica, en un libro titulado *Transformed by the Light*.

En su estudio, el doctor Morse realizó exámenes detallados a cientos de personas que habían sobrevivido a experiencias de muerte clínica. Utilizando tests psicológicos comunes, descubrió que tenían, por cierto, más experiencias psíquicas verificables que el promedio de la población: según su estudio, una proporción cuatro veces mayor.

Estas experiencias psíquicas son, en su mayoría, simples e insignificantes. Por ejemplo: muchos tienen premoniciones sobre las llamadas telefónicas; dicen a un familiar o un compañero de trabajo que está por llamar determinada persona y, pocos momentos después, esa persona telefonea. Generalmente las llamadas son de familiares cercanos, pero con frecuencia se trata de personas de las que no han tenido noticias por años enteros. Puesto que han expresado su premonición a otras personas antes de que sucediera el hecho, se trata de experiencias psíquicas verificables.

Sin embargo, casi todas las experiencias citadas en su libro van más allá de las llamadas telefónicas. Una mujer soñó que su hermano sangraba por el costado y las manos y gritaba pidiendo ayuda. Por la mañana contó su sueño a la familia, pero le dijeron que lo olvidara, que era sólo una pesadilla. No obstante, a los pocos días su hermano fue herido en el costado y en las manos por unos asaltantes, tal como ella lo había soñado.

El doctor Morse cita en su estudio docenas de relatos como este. En vez de ignorarlos o achacarlos a pura coincidencia, ha preferido examinarlos con más atención y deduce que, en verdad, en las experiencias de muerte clínica hay algo que hace más psíquica a la gente.

Qué es ese algo, no puedo decirlo. Nadie puede, al menos por ahora. Algunos piensan que la muerte clínica sensibiliza cierta zona del cerebro, responsable de las comunicaciones psíquicas. Otros creen, como Freud, que antes de desarrollar la capacidad del habla nos comunicamos de una manera psíquica y que la experiencia de muerte clínica reaviva esa capacidad.

No sé por qué tengo facultades psíquicas ni por qué las tienen otros. Sí sé que en todo momento suceden cosas intrigantes e inexplicables. En gran medida, vivimos en un mundo que sigue siendo un misterio. Negar ese misterio sería, quizá, negar el mundo en su mejor versión.

12

Reconstrucción

Hacia 1978 yo estaba efectuando una fuerte recuperación. Podía caminar casi con normalidad y concentrarme lo suficiente como para pensar en reconstruir mi vida.

La descarga del rayo me había costado todo. Perdí mi casa, mis automóviles y mis empresas, todo para pagar a médicos y hospitales. Sumando todo, había gastado decenas de miles de dólares para conservar la vida.

Según la opinión general, estaba en malas condiciones. Según el modo de ver que yo había adoptado después del accidente, era un verdadero atleta olímpico. Aún pesaba poco y seguía sufriendo perturbadores desmayos. Mis médicos lo atribuían a las lesiones del corazón. Calculaban que el rayo lo había dañado y hasta inutilizado en un treinta por ciento. Mi corazón tenía una "insuficiencia de bombeo", por lo que a veces no me llegaba suficiente sangre a la cabeza. Cuando eso ocurría, me derrumbaba.

Por suerte siempre había alguien que me levantara. Sandy seguía a mi lado, igual que amigos como David Thompson, Jan Dudley, Jim y Kathy Varn. Cuando me derrumbaba en público, ellos solían estar conmigo para ayudar.

A los médicos los preocupaba la posibilidad de que mi corazón degenerara con el tiempo y acabara por convertirse en un verdadero problema. Yo consideraba que, sin necesidad de esperar, el problema ya estaba allí.

Tenía alternativas, por supuesto. Podía sentarme a esperar, confiando en que mi corazón cicatrizara y mi recuperación fuera completa, o podía volver al trabajo. Decidí trabajar. Debido a mis constantes visiones sobre los centros, me fascinaba la electrónica. Fundé tres empresas, todas relacionadas con esta ciencia.

La primera se dedicaba a la venta de un dispositivo ideado para evitar que los golpes de tensión eléctrica arruinaran los artefactos domésticos. Como el lector puede imaginar, yo era el vendedor perfecto para este producto, pues era un ejemplo viviente de lo que puede ocurrir con el artefacto humano que recibe demasiada electricidad.

También volví a trabajar para el gobierno, fabricando e instalando dispositivos electrónicos antiespionaje en los edificios oficiales de todo el mundo. Se llaman "sistemas de enmascaramiento" y su función es evitar que alguien escuche subrepticiamente.

La tercera empresa fabricaba un artefacto que me había sido mostrado en una de mis visiones: un dispositivo antiincrustaciones, ideado para evitar que los percebes se adhirieran al casco de los buques, reduciendo así el gasto adicional de combustible causado por la resistencia.

Este invento, que desarrollé con dos amigos, era una gran ayuda para la protección ambiental. Hasta entonces, el mejor recurso para evitar que los percebes se adhirieran a los cascos era una pintura altamente tóxica. Ahora se podía hacer lo mismo transmitiendo tonos eléctricos a través del casco. Este invento duplicaba así el beneficio al medio: aumentaba el rendimiento del combustible y reducía la descarga tóxica hacia el agua.

También trabajé con los sordos. Modifiqué una pieza de equipamiento llamada audiotransductor, que convertía el habla en vibraciones. Este dispositivo se puede adherir a cualquier superficie, incluido el cuerpo humano. Cuando por él pasan música o sonidos, vibra y convierte en altavoz aquello a lo que esté adherido. Instalando uno de estos dispositivos tras la oreja de una persona sorda, se le permitía "oír" mediante las vibraciones. Helen Keller utilizaba un método similar cuando ponía las manos contra la garganta de la gente para sentirla hablar.

Recuerdo a una señora sorda que parecía asustada en tanto yo le conectaba el artefacto al oído. La madre le aseguraba que no habría problemas, pero ella no imaginaba lo que era oír y tenía miedo. Encendí el transductor y le hablé. Ella me miró y se echó a llorar.

—Puedo oír eso —dijo—. Hasta ahora no había oído nada.

El hecho de que los sordos pudieran súbitamente oír me hizo pensar mucho en mi súbita adquisición de facultades psíquicas. Llevaban años aprendiendo a adaptarse a un mundo silencioso. Los otros sentidos compensaban tan bien la pérdida que ellos no tenían mucha conciencia de estar perdiéndose algo. Y un día, ¡bum!: con la velocidad de un rayo se los introduce en un mundo cuya existencia ignoraban. Se llenan de entusiasmo y emoción, pero también de miedo. Es como explorar algo que no imaginaban.

También los transductores me fueron mostrados en una de las visiones que continuaba teniendo regularmente. Los llamé "hockey pucks", porque a eso se parecían: a esos pequeños discos redondos de goma negra que se usan como proyectil en el hockey. No sabía qué eran, pero suponía, por las visiones, que debían transmitir música a través del cuerpo de la persona tendida en la cama.

Por medio de las visiones comencé a entender ciertas cosas del cuerpo humano. Una fue que, igual que esos transductores, transmitimos al mundo que nos rodea esencias espirituales, mentales y físicas de nuestro ser. Si aprendemos a estar en contacto con el yo eléctrico y biológico, podemos convertirnos en seres más elevados que transmiten el lado espiritual de la vida.

Todas mis visiones de los centros se basaban en el conocimiento del cuerpo: cómo produce energía y cómo se puede hallar esa energía de modo tal que tenga un contexto espiritual. Cuando llegas al punto en que puedes dominar esa energía y transformarla en una fuerza positiva, has hallado esa parte de ti que es Dios.

El objetivo de los centros era redirigir la energía humana, pero por entonces yo no lo sabía. Simplemente se me ordenaba hacer ciertas cosas. Fundé las empresas mencionadas porque así me lo indicaron los espíritus. También fundé una empresa llamada Tecnologías Científicas, que fabricaba componentes electrónicos.

Para este último negocio tomé algunos socios. Les expliqué que deseaba organizar la empresa porque así me lo ordenaban mis visiones. Ellos me creyeron, pues me conocían desde hacía años. Sabían que, antes de ser alcanzado por el rayo, no era muy entendido en cuestiones de electricidad, pero que después mis maestros espirituales me enseñaron cuanto necesitaba saber.

—Ignoro por qué debo organizar esta empresa, pero así me lo dicen mis visiones —dije a mis socios.

Ellos accedieron a dejarse guiar por la visión. Se me indicó que encaminara la empresa hacia el medio y así lo hice, continuando con la fabricación e instalación de los sistemas antiincrustaciones en los barcos. Por un tiempo no nos fue bien, pero después el gobierno prohibió la pintura tóxica. Por fin habían reunido estudios científicos suficientes para comprobar que era perjudicial para el medio. En realidad, tan peligrosa era que, si alguien caía al puerto de Norfolk mientras se estaba usando esa pintura, era preciso llevarlo inmediatamente al hospital para desintoxicarlo. Cuando se prohibió esa pintura, nuestras ventas treparon de una manera tremenda.

En 1983, siguiendo la visión, me aparté de la electrónica marítima para volver al negocio del antiespionaje. Desde entonces me dedico a eso.

Y las visiones continuaban, por supuesto. Se referían a la bondad y a la búsqueda de los componentes adecuados para crear los centros.

Me ofrecí como voluntario para trabajos de hospicio, cuyo objetivo es brindar comodidad a los moribundos, generalmente en su propia casa. Lo hice porque así me lo ordenaban las visiones. Visitaba a los pacientes y les contaba mi historia. Muchos de ellos no habían oído hablar de las experiencias de muerte clínica. Sin embargo, como estaban tan cerca de la muerte, ponían mucho interés en el relato de ese viajero espiritual, que conocía el sitio al que ellos irían.

En general, la gente evita a los moribundos, pues se tiene un increíble miedo a la muerte y se prefiere esquivarla en lo posible. Creo que, si uno pasara más tiempo junto a los lechos de muerte, olvidaría el miedo a la muerte física. No digo que la muerte no sea atemorizante ni difícil de enfrentar, pues casi siempre lo es, pero junto con el dolor y el miedo de abandonar la vida física surge un despertar de lo espiritual.

Como voluntario de hospicio me dedicaba a cuidar de los cuidadores. Básicamente, esto significa que proporcionaba descanso al familiar encargado de atender al moribundo. Ese tipo de trabajos me gusta, porque la persona que está en esa situación necesita realmente un descanso. Muere un poquito cada día y, por lo general, los otros miembros de la familia no le prestan atención. No sólo se siente atrapada, sino que muchas veces tiene también algún conflicto con el enfermo.

Por ejemplo: cierta vez ayudé a una madre que estaba atendiendo a un hijo enfermo de cáncer. Lo primero que hacía, al acercarme a la cama, era tomar el pulso a los pacientes. Lo hacía tanto para verificar el pulso como para ver su "película casera".

La "película" de este jovencito era de las malas. Vi a su madre de pie junto a la cama, con los brazos en jarras y expresión de enojo. El no podía escapar de su arenga, que lo enfadaba. Sentí oleadas de irritación mientras ella hablaba.

—Caramba —dije al muchacho—, ¿qué es lo que te altera tanto?

—No me lo vas a creer —dijo. Y procedió a explicarme que su madre se sentía culpable de su enfermedad; por algún motivo, se consideraba responsable de que él fuera a morir. Varias veces por día se plantaba junto a su cama, atribuyendo su enfermedad a cosas que ella había hecho. Aquello no tenía ningún sentido, según me dijo el jovencito. En los últimos días la cosa se había vuelto peor, pues la madre había pasado a culparlo a él mismo de su enfermedad, diciendo que algo habría hecho para provocarla.

—Me estoy muriendo de cáncer —dijo—. No es culpa de ella ni tampoco mía. Me estoy muriendo, simplemente.

Cuando volvió la madre mantuvimos una buena discusión sobre la culpa y la muerte. Luego les conté mi historia y eso pareció tranquilizarlos.

—No deje que la muerte los separe —recomendé a la madre—. Jamás se perdonaría a sí misma.

En otra ocasión fui a una casa de clase media, en Carolina del Sur. La mujer que me abrió la puerta se alegró sinceramente de verme. Estaba atendiendo a su madre y dijo que era "algo difícil llevarse bien con ella".

Me presentó a la anciana y se retiró abruptamente. Yo hice lo de costumbre: tomar la muñeca de la mujer para buscarle el pulso. De inmediato se inició la "película casera". Vi a las dos mujeres enzarzadas en una discusión, diez minutos antes de que yo llegara. Aun sin oír lo que decían, pude sentirlo y capté que la moribunda era una verdadera bruja.

—No sé cuál era el motivo de la riña —le dije—. Pero estos momentos no son para eso. Estos momentos son para mostrarse amable, en vez de comportarse como una anciana fastidiosa.

Le retuve la muñeca otra vez; lo que causaba la ira de esa mujer era su esposo. Un día se fue y exigió que se vendiera la casa, con lo cual ella se vio obligada a vivir con su hija, cosa que ambas detestaban.

—No se enoje con su hija por lo que hizo su marido —le dije—. No es culpa de ella.

La anciana pensó que la hija me había puesto al tanto de la pelea. Dejé que lo creyera y pasamos dos horas hablando del afecto y el amor. Más tarde, cuando la hija volvió a la casa, les expliqué cómo sabía lo de la riña y cómo era morir.

Utilizar mis facultades psíquicas nunca ha sido tan grato como con los moribundos. Quien está por morir no puede permitirse el lujo de malgastar el tiempo, lo cual permite ser más o menos directo junto al lecho de muerte. Si hay algo que aclarar, el moribundo prefiere que se lo aclare sin rodeos. Quieren sacar los problemas a la superficie y buscarles solución.

Por ejemplo: cierta vez fui a un hogar donde una pareja atendía a la hija, en la etapa final de un cáncer de mama. La hija estaba casada y tenía dos hijos, según lo sugerían las fotos de las paredes.

Cuando tomé el pulso a la mujer, una escena se encendió en mi mente. La vi en un consultorio donde el médico le mostraba una radiografía. Señalaba un punto específico y le hablaba con mucha franqueza, mientras ella se cubría la boca con la mano. Luego la vi abandonar el consultorio sin intenciones de volver.

En otra escena vi a su esposo, que reaccionaba con ira al enterarse de que ella tenía cáncer. Como en esa segunda escena la mujer parecía estar enferma, debía de haber pasado algún tiempo desde la consulta al médico. En el diálogo había mucha tensión. Aunque ella parecía necesitar ternura, él no le ofrecía más que cólera.

Comprendí lo que había pasado y fui directamente al grano.

—¿Puedo preguntarle algo, Jane? ¿Por qué no volvió al médico?

—Como no podía creerlo, no le presté atención —respondió ella.

Y se echó a llorar suavemente. Me dijo que no soportaba la idea de operarse. Cuando el cáncer empeoró y el esposo la llevó nuevamente al médico, se enteró de que ella ya estaba al corriente de su enfermedad. Por entonces ya era demasiado tarde. El esposo se enojó tanto que no quiso saber nada más de ella.

—Se enfureció conmigo por no haber hecho algo —dijo—. Ahora quedará solo con los niños y todo eso. Y me echa la culpa.

—Es demasiado tarde para preocuparse por eso —dije.

Cuando los padres volvieron les expliqué el motivo por el que el yerno estaba enojado. Ellos ignoraban lo del diagnóstico anterior. Sólo sabían que el yerno se negaba a visitar siquiera a la hija. Ahora comprendían al menos por qué.

Por desgracia, este relato no tiene un final feliz. Fui a casa del esposo y traté de ayudarlo a superar su ira. A él no le interesó. Conservó su resentimiento hasta que la mujer murió y, por lo que sé, no asistió siquiera a los funerales. Cuando menos, yo hice el intento.

Como he dicho, fueron las visiones las que me llevaron a hacer ese trabajo voluntario. De ese modo aprendí que la reducción del estrés era clave para mejorar tanto la vida como la muerte de una persona.

A veces me maravillaba la marcha de las cosas a partir de la caída del rayo. Trece años después comenzaba a sentirme como si hubiera salido de la tumba. Físicamente parecía estar bien, aunque no lo estaba en absoluto. Si caminaba de prisa o por distancias largas, me veía obligado a detenerme para recuperar el aliento. Evitaba las escaleras, porque un par de tramos me fatigaban tanto como si hubiera corrido dos kilómetros. Llegaba arriba jadeando y cubierto de sudor.

Mi estado mental había mejorado mucho. Inmediatamente después del accidente, pasaba todo el día parloteando, ya de mi experiencia de muerte clínica, ya de la misión que me habían dado los seres espirituales y de los centros que debía construir. No podía quitármelos de la cabeza y los tenía constantemente en la boca. Aún me refiero mucho a la experiencia, pero ya no insisto como antes.

Aun así las visiones me acompañaban siempre, impulsándome a completar los centros cuanto antes. Sabía cómo llevar las visiones a la realidad, exceptuando la cama, que seguía siendo un misterio. Los transductores que me había mostrado la visión eran como dos proyectiles de hockey puestos lado con lado. En esas visiones aparecían también otros componentes de la cama; gradualmente fui reconociendo qué eran y hallándolos. Lo difícil era asegurarme de tener todos los componentes y ensamblarlos como era debido. El año de 1992 era la fecha tope para tener terminados la cama y los centros; yo creía poder hacerlo sin dificultades, con la guía de las visiones.

No obstante, el accidente y todo su "equipaje" pesaban mucho en mi vida personal. Sandy y yo acabamos por divorciarnos, cuando mi constante cháchara sobre la experiencia y los centros se le hizo insoportable. No pude criticarla. Las experiencias de muerte clínica son difíciles para las parejas. Las visiones repetidas y el desarrollo de facultades psíquicas, agregados al daño físico que yo había sufrido, eran una receta infalible para que el matrimonio fracasara.

Pese a todo, mi vida estaba en condiciones más o menos buenas. Como he dicho antes, comenzaba a sentirme bien. Pero antes de que pudiera erguir la espalda y sacudirme el polvo, caí de nuevo en la fosa.

13

Paro cardíaco

Corría mayo de 1989; en los últimos dos años yo había trabajado en exceso. Cuando no estaba en Charleston o en Aiken, trabajando en mis empresas, estaban en Washington, D.C., instalando dispositivos antiespionaje en el Pentágono. Tan sólo esa parte de mis negocios me mantenía ocupado cuanto menos sesenta horas por semana.

Por añadidura debía atender la carga laboral que me imponían las visiones. Para aprender lo que era la bondad se me indicó continuar con mis trabajos de hospicio. Lo hice sin pena. Me brindaba un gran placer ayudar a la gente en el momento de mayor necesidad. Hasta los familiares rechazan a veces a los moribundos, no porque no los amen, sino porque no pueden aceptar las tristes verdades de la muerte.

Por ejemplo: noté que un hombre tenía dificultades para acercarse a la cama de su madre, que era muy anciana y estaba por morir de cáncer. El y su familia la visitaban dos veces por día, pero después de un rato el hombre salía al pasillo, mientras los otros se quedaban conversando con la enferma.

Por fin me acerqué a él. Al principio se mostró renuente a hablar y hasta hostil. Entonces rompí el hielo diciendo:

—Usted parece estar furioso con su madre.

Me miró como si hubiera develado sus pensamientos más recónditos, pero no era así, por cierto. Bastaba mirarlo para ver la cólera en su rostro. Estaba furioso con la muerte y furioso con su madre por aceptarla y recurrir a un hospicio. No le gustaba la idea de que la muerte le robara a su madre, que era una de sus relaciones más íntimas. De una manera extraña y casi inexplicable, era como si ella lo estuviese rechazando.

—No quiero que ella se rinda porque jamás volveré a verla —me dijo, con la voz henchida de emoción.

Le dije que su reacción era natural. Yo la conocía: él había vuelto al papel de hijo pequeño. Aunque era adulto, con familia propia y un buen empleo, seguía siendo el niñito de mamá. Y ahora ese niñito salía a decir que, si no se le hacía el gusto, no volvería a hablar con mamá.

—El problema es este —le dije—. Su madre sabe que es hora de morir y la enfrenta con valor. Usted debe apoyarla, porque no puede hacer nada por cambiar las cosas. Para ella ha llegado la hora.

Luego le hablé de las experiencias de muerte clínica y de mi propio caso. Lo apasionó encontrarse con la muerte presentada, no ya como el fin, sino como el comienzo de una gran aventura.

Para ese hombre fue un momento de curación. Volvió al cuarto y se comportó como un buen hijo mientras vivió su madre.

Yo también aprendí de esa experiencia. Y para aprender me ordenaban los seres espirituales que trabajara como voluntario de hospicio.

Como promedio, pasaba veinte horas semanales en hospicios y hospitales; a veces, bastante más. Cuando los pacientes estaban en las últimas horas, me quedaba con ellos todo el día, si así lo deseaban. Eso equivalía a perder muchas horas de sueño, lo cual no importaba tanto como las lecciones que los moribundos podían enseñarme.

También había otras partes de las visiones que me exigían trabajar en exceso. Desde 1979 había construido varias versiones de la cama, pero aún estaba estudiando los componentes. Aunque los tenía a todos individualizados, no hallaba la manera de ensamblarlos. Continuaba trabajando mucho para completar el rompe-cabezas y no conocía otro método que obedecer con fidelidad a mis visiones.

Mis incesantes referencias a esas visiones se estaban convirtiendo en una carga para mis amigos. Con demasiada frecuencia les oía decir que yo estaba loco. Por mucho tiempo lo dijeron a mis espaldas. Por fin llegó un momento en que ya no les importó que yo los oyera. Después de una semana especialmente intensa, en la que apenas pude mantener los ojos abiertos, un amigo íntimo me dijo:

—¿Quieres dormir un poco? Olvídate de esas visiones y sigue adelante con tu vida. No son más que un obstáculo.

No pude estar más de acuerdo. Las visiones eran un obstáculo, sí. Yo deseaba como nadie que desaparecieran, pero no era fácil. No podía dejar de prestarles atención.

Todo esto se combinaba para hacerme trabajar más de lo que habría debido. Empecé a flaquear. Al principio me sentía siempre exhausto. Despertaba cansado y así seguía hasta la hora de acostarme. Pensando que se trataba de una gripe rebelde, intenté curarme durmiendo.

Por un tiempo mejoré, pero en cuanto reanudé mi arduo plan de trabajo volví a decaer. Recorría cientos de kilómetros por semana, entre mi casa y la zona de la capital. Me sentía mal, pero era preciso trabajar mucho para que la empresa sobreviviera. Aun así estaba seguro de tener algo grave, porque sentía los pulmones bloqueados y, aunque tosía sin pausa, no expectoraba nada.

Por fin comprendí la gravedad de la situación cuando iba hacia Charleston con Robert Cooper, mi socio. Bañado en sudor, me recosté en el asiento trasero, con la esperanza de mejorar con un breve descanso. No fue así. Por el resto del día no pude incorporarme sin fuertes mareos.

—Debe de ser una pulmonía —dije a Robert.

Después de un par de días en la cama me sentí mejor. Sin embargo, en cuanto traté de reanudar mis actividades normales volvió el atascamiento en los pulmones y empeoré.

Estaba seguro de padecer algún tipo de pulmonía o de gripe que no lograba combatir.

—Lo solucionarán en la sala de emergencias —dije a mi socia.

Ella no ignoraba lo que me costaba ir al hospital, pues yo solía bromear: "No me gusta ir a los hospitales; cada vez que voy, me muero." Me ayudó a caminar hasta el East Cooper Hospital, que estaba a pocas calles de distancia. Cuando llegué me sentía como después de una maratón. En el escritorio de recepción completé un formulario detallando mi historial clínico; eso acabó con el resto de mis energías. Por fin el recepcionista me hizo pasar directamente a una sala de examen, mientras mi socia completaba los formularios de internación.

—Creo que tengo una gripe —dije al médico, que miraba con espanto mis antecedentes clínicos.

Por entonces respiraba con mucha dificultad, como si mis pulmones pesaran una tonelada. El me auscultó el corazón y los bronquios con un estetoscopio, enarcando un poco las cejas. Luego pidió a una enfermera que trajera un electrocardiógrafo. Entre ambos me conectaron rápidamente los electrodos al pecho; la cinta que obtuvieron parecía un gráfico del mercado accionario. El médico la examinó por un momento y luego la envió a un especialista, para que la analizara mejor.

No se apartaba de mi lado. Me ayudó a ponerme la camisa, mirándome siempre de un modo que me ponía nervioso. Cuando volvió el informe del especialista, salió de mi cubículo para leerlo. Al volver parecía aun más nervioso.

—¿Quiere usted que le diga la verdad? —preguntó.

—Nada más que la verdad.

—Bueno, se trata de una infección que le está provocando neumonía, sí —confirmó—. Pero temo que esté al borde del paro cardíaco. Si no lo llevamos inmediatamente a terapia intensiva puede morir en cuarenta y cinco minutos.

Agradecí su franqueza, comprendiendo que requería valor de su parte. Casi todos los médicos se andan por las ramas antes de decir al paciente que está condenado. Pero ese no se perdía en rodeos, quizá debido a la gravedad de mi estado. Por lo cerca que se mantenía de mí, tal vez temía que muriera de miedo, pero ¿qué miedo podía tener? Ya había muerto una vez y me gustaba. Estaba dispuesto a retornar. Era un alivio saber que moriría en menos de una hora.

Mientras el médico me rondaba, decidí alegrar un poco el ambiente.

—Caramba, doctor —le dije, sonriendo—. ¿No sería mejor que me acostara?

En las horas siguientes me convertí en el centro de atención. Me aplicaron suero por vía intravenosa y una enorme cantidad de antibióticos. Los médicos venían uno tras otro a auscultarme el corazón. Se me hizo una variedad de exámenes, incluyendo uno muy doloroso llamado cateterización cardíaca; consiste en introducir un tubo hasta el corazón por una arteria de la pierna e inyectar tintura directamente en las cámaras, a fin de ver el órgano en una pantalla de televisión.

Lo hicieron sólo para ver con exactitud en qué estado se encontraba mi corazón. Ya sabían cuál era el problema: había contraído una infección a estafilococos por un corte en la mano. Al principio, la infección hizo que me sintiera engripado. Como no le presté atención se convirtió en neumonía. Luego se dirigió sin vacilar a mi punto más débil: el corazón dañado por el rayo. Y allí se instaló en la válvula aorta, masticándola a tal punto que ya no cerraba herméticamente.

Por efectos del rayo, la capacidad de bombeo de mi corazón estaba ya reducida en casi un cincuenta por ciento. Ahora, con la válvula lesionada y perdiendo, me ahogaba en mi propia sangre. Como resultado sufría mucho. Respiraba con dificultad, escupiendo sangre al toser. Los antibióticos me descomponían. El constante manoseo del equipo médico era más una molestia que una ayuda. Aun así conservaba el buen humor y la sonrisa, pese a los lúgubres procedimientos. Sabía que estaba por morir y eso no me disgustaba.

—Vea, doctor, la muerte no es problema. Lo que duele es llegar allí.

—¿Cómo dice? —inquirió uno de los médicos, apartando la vista de su anotador.

—Ya he muerto antes y sé que es bastante agradable —dije—. Lo que duele es el trayecto.

—Ya veo que ha muerto antes —confirmó él, observando mis antecedentes clínicos—. No es común que alguien sobreviva a la descarga de un rayo, sobre todo si el corazón se detiene por tanto tiempo como el suyo.

—Lamento haber sobrevivido, doctor. Aquello era estupendo. Yo no quería volver.

—No se preocupe. Haremos lo posible por mantenerlo con vida.

—Usted no comprende —insistí—. Quiero morir. Conozco aquello y sé que es hermoso. Desde que volví es como si hubiera estado en una cárcel. En el cielo uno puede vagar libremente por todo el universo.

El médico me miró por un instante y vio mi sonrisa. Creo que eso lo puso nervioso, pues de inmediato hizo señas a una enfermera que estaba junto al cuarto.

—Enfermera, tome la temperatura al señor Brinkley, por favor. Creo que está afiebrado.

Sobreviví a la noche.

Mi buena amiga Franklyn había llamado a mi padre, quien inició la cadena telefónica. Hacia la mañana toda la familia estaba reunida en el hospital. Pronto el cuarto se llenó de gente que apenas podía contener su emoción al verme.

La enfermedad tiene sus momentos interesantes; uno de ellos es ver cómo nos miran los otros. Yo había visto expresiones de incredulidad tras la descarga del rayo, pero esta vez tenía conciencia de lo que me rodeaba y podía disfrutar mucho más las reacciones que provocaba mi aspecto. Era casi como si yo fuera una pantalla de cine y mis visitantes vieran allí las partes más espeluznantes de *El exorcista*.

No puedo criticarlos, pues lo que veían era terrorífico. Yo estaba azul carbón hasta las uñas. Alrededor de mi cabeza, la sábana se manchaba con la sangre que escupía al toser. Cada aliento era un esfuerzo, pues mis pulmones llenos de fluido repiqueteaban cuando exhalaba.

A la gente le parecía espectral estar junto a un lecho de muerte cuyo ocupante se mostraba tan animoso. Pero yo no podía evitarlo. Como dije a mi padre, era sólo cuestión de perspectiva. "A ti te parece que me voy para no volver", le expliqué. "Para mí es como volver a casa."

Una enfermera trajo unos formularios para que firmara. Eran los formularios de autorización para que se me efectuara una intervención quirúrgica en el corazón. Un par de cirujanos me habían dicho que sólo podría sobrevivir si trataban de remplazarme la válvula aorta por una artificial. Les respondí que estaba dispuesto a morir y que no quería operaciones, pero ellos, sin prestarme atención, hicieron preparar los formularios, suponiendo que cambiaría de idea.

—No los voy a firmar —anuncié—. Esta vez dejaré que Dios decida.

Dos cirujanos entraron en el cuarto y se detuvieron junto a la cama, severos y firmes. Uno de ellos me explicó los hechos, mientras el otro escuchaba.

—Cuanto más tiempo esperemos, menos probabilidades tendrá usted de sobrevivir a la operación —dijo.

—Me alegro, porque no habrá ninguna operación —repliqué.

—Es preciso operar dentro de las diez horas próximas; de lo contrario su corazón estará demasiado débil para la cirugía —insistió él.

—Estupendo. Entonces voy a morir.

Vi que mi padre, en el rincón del cuarto, hablaba con Franklyn. Luego ella salió de la habitación.

—Dejaremos los formularios aquí —resolvió el cirujano—. Si cambia de idea, fírmelos.

Pocos minutos después volvió Franklyn. Después de hablar unos segundos con mi padre, los dos se acercaron a mi cama.

—Franklyn acaba de llamar a Raymond —dijo mi padre—. Viene hacia aquí.

Me alegré de saberlo. Raymond había pasado varias semanas en Europa, en una gira de conferencias, y hasta entonces ignoraba que yo estuviera hospitalizado;

ni siquiera sabía que me encontraba enfermo. Según dijo Franklyn, tomaría un vuelo desde Georgia para llegar en un par de horas. Eso me daba la posibilidad de verlo una vez más antes de morir.

No había más que esperar. No recuerdo mucho de lo que se dijo, pero sí lo que yo pensaba: *Ahora no tendré posibilidades de terminar los centros. Debía completarlos antes de 1992, pero no parece que vaya a sobrevivir hasta entonces. Voy a morir hoy mismo.*

Un par de horas después entró Raymond. Fue evidente que el espectáculo lo horrorizaba: cuatro personas rodeando la cama, ceñudos y asustados, mientras yo hacía chistes y trataba de levantarles el ánimo. Raymond se acercó, tratando de mostrarse despreocupado.

—No tienes muy buena cara —dijo, con su suavidad habitual—. Estos médicos pueden componerte.

—No quiero que me compongan —expliqué—. Sólo quiero morir.

Raymond, como buen médico, insistió.

—¿Hay algo que yo pueda hacer para que tus últimas horas sean más agradables?

—Hay una cosa, sí —respondí—. Puedes traerme un emparedado de carne asada con mucho rábano picante. Quiero irme bien lleno de colesterol.

Todos nos echamos a reír; yo lo hice con tantas ganas que me brotó sangre por la nariz. Luego Raymond y yo empezamos a recordar nuestro primer encuentro y la gente a la que habíamos conocido. Quienes pasaban por la experiencia de muerte clínica, dijo él, aseguraban siempre no temer ya a la muerte, pero esa era la primera vez que él veía una demostración de esa falta de miedo.

—¿Por qué no tienes miedo? —quiso saber.

La respuesta surgió fácilmente:

—Porque vivir en la tierra es como ir a un campamento de veraneo por obligación. Odias a todos y echas de menos a tu mamá. Vuelvo a casa, Raymond.

El trató de consolar a mis parientes y amigos. Yo

los oía hablar, pero a esa altura no prestaba mucha atención. Estaba organizando mentalmente las cosas, tratando de encontrar cualquier cabo suelto que fuera preciso atar antes de abandonar este mundo.

Por fin Raymond volvió a acercarse.

—No tienes por qué morir —dijo—. Hazlo por mí: quédate. Necesito de tu ayuda.

Raymond tenía en la cara una maravillosa sonrisa de comprensión y un tono de súplica en la voz. Me hizo sentir querido y necesario, deseo humano básico al que me he descubierto susceptible.

—Está bien —dije—. Dame los formularios.

En cuanto los hube firmado, el equipo de cirugía se hizo cargo de mí. Alguien me hizo un corte en el cuello e insertó un tubo. Otro me abrió un agujero en la pierna y por allí introdujo otro tubo hasta el corazón.

Por entonces yo estaba tan débil que los médicos de East Cooper decidieron trasladarme al hospital Roper, donde se realizan operaciones de alto riesgo. Allí me retuvieron durante toda la noche, con la esperanza de que mi estado mejorara. Como no fue así, decidieron llevar a cabo la intervención.

No recuerdo mucho de lo que pasó tras mi llegada a Roper. Sé que una enfermera entró para afeitarme; después miré hacia abajo y vi botas verdes de cirugía caminando a mi lado: me llevaban en camilla al quirófano. Luego apareció un hombre de barbijo verde que me aplicó dos inyecciones en el trasero.

—Esto es para relajarlo —dijo.

Después se hizo la oscuridad.

14

La segunda vez que morí

Lo veía todo negro, pero oía voces.

—Este no me da buena impresión.

—Claro. Tiene una infección, está débil, su corazón fue lesionado por un rayo y no está en buen estado físico. Es un desafío.

—Te apuesto diez dólares a que no se salva.

—Hecho.

Giré para salir de la oscuridad y me enfrenté a las intensas luces del quirófano. Vi a los dos cirujanos y a los asistentes que apostaban sobre mi vida. Estaban observando mis radiografías en una caja iluminada mientras esperaban que se terminara el trabajo preparatorio. Luego se vería quién ganaba la apuesta. Miré mi propio cuerpo desde un sitio que parecía estar bien por encima del techo. Vi que me estiraban el brazo para fijarlo a un soporte de acero inoxidable.

Una enfermera me pintó con un antiséptico pardo y

luego me envolvió en una sábana limpia. Otra persona aplicó una inyección directamente en el tubo intravenoso. Luego un hombre trazó con un bisturí un corte limpio y recto, a lo largo de mi esternón, y retiró la piel. Una asistente le entregó un artefacto que parecía una pequeña sierra y él la enganchó bajo mi esternón. Luego la encendió para aserrarme el pecho. Insertaron un separador en la incisión y abrieron la caja torácica. Otro médico cortó la envoltura de piel que rodeaba el corazón. Entonces pude echar una buena mirada a mi propio corazón palpitante.

No recuerdo haber visto más. Volví la espalda a la operación, adoptando una posición que me dejó envuelto en negrura. Oía sonar campanas: tres series de tres, con un tono al final de cada una. En la oscuridad se abrió un túnel. Las paredes de ese túnel presentaban surcos, como un campo recién arado. Estos surcos corrían a lo largo, hacia la luz intensa del final. Eran de color gris plateado con motas doradas.

Después de ver cómo abrían mi pecho y de escuchar las apuestas sobre el resultado, estaba seguro de que no iba a sobrevivir. Pero no sentía miedo, sino alivio. Desde el accidente del rayo, mi cuerpo no había sido sino una carga. Ahora había desaparecido. Una vez más era libre de vagar por el universo.

Al final del túnel me esperaba el Ser de Luz, el mismo que me recibió la primera vez. Con frecuencia la gente pregunta si estos Seres tienen cara. Ninguna de las dos veces vi ninguna cara: sólo un espíritu refulgente, que se hacía cargo de mí con firmeza y sabía dónde llevarme.

Me atrajo hacia sí y, al hacerlo, se extendió casi como un ángel que extendiera sus alas. Me vi envuelto en esas alas de luz. Y en ese momento comencé a ver nuevamente toda mi vida.

Los veinticinco años primeros pasaron como en mi primera experiencia de muerte clínica, muchas de las cosas que vi eran las mismas: mis años de niño malo, mi transformación en un militar malvado. Contemplar nuevamente esos primeros años era doloroso, no voy a negarlo, pero el tormento se atemperó al ver los años transcurridos desde la experiencia anterior. Me sentí orgulloso de esos años. Si los veinticinco anteriores habían sido malos, esos catorce presentaban a un hombre distinto.

Vi el bien que había hecho en mi vida. Uno tras otro, hechos grandes y pequeños pasaron ante mi vista, en mi capullo de luz.

Me vi actuar como voluntario en hospicios, realizando las tareas más insignificantes, como ayudar a un enfermo a levantarse o a peinarse. Varias veces me vi hacer trabajos de los que nadie quería encargarse, como cortar las uñas de los pies o cambiar pañales.

En una ocasión, por ejemplo, ayudé a atender a una anciana. Llevaba tanto tiempo en cama que estaba rígida y apenas podía moverse. La levanté del colchón como a una criatura (no debía de pesar siquiera cuarenta kilos) y la sostuve en brazos mientras las enfermeras le cambiaban las sábanas. Para que cambiara de escenario, la llevé en brazos por todo el edificio. Sé que eso fue muy importante para ella, porque me lo agradeció con insistencia y lloró cuando me fui. Al revivir ese hecho, la perspectiva que me brindaba ese lugar celestial me permitió sentir su gratitud ante el hecho de que alguien volviera a abrazarla.

Reviví una ocasión en que, estando en Nueva York, invité a un grupo de vagabundas a cenar en un restaurante chino. Había visto a esas mujeres en un callejón, revolviendo los cubos de basura, y me compadecí de su situación. Después de acompañarlas a un pequeño restaurante, les ofrecí una comida caliente.

Cuando volví a ver este suceso sentí que desconfiaban de mí. ¿Quién era ese desconocido y qué buscaba? No estaban habituadas a que alguien tratara de hacerles un bien. De cualquier modo, cuando llegó la comida las reconfortó que alguien las tratara con humanidad. Pasamos casi cuatro horas en el restaurante y bebimos varias botellas grandes de cerveza china. La comida me costó más de cien dólares, pero el precio no fue nada, comparado con el gozo de revivirlo.

Vi certámenes de pintura y collage que había ayudado a organizar para los pacientes del hospital psiquiátrico donde colaboraba. Como mi novia trabajaba como asistente social psiquiátrico en ese mismo hospital, tuve oportunidad de participar en un experimento que presencié en esa revisión de mi vida.

En realidad, fue sencillo. Queríamos llevar a la iglesia a varios pacientes. En su mayoría eran del sur y se habían criado cantando himnos. ¿Por qué no llevarlos a la iglesia, para ver si los himnos tocaban algún rincón cuerdo de su mente?

Llevamos a unos veinte a una gran iglesia presbiteriana y los sentamos en la última fila. Al terminar el oficio, muchos de los pacientes estaban cantando los himnos que habían aprendido en los años previos a la enfermedad mental. Algunos de ellos llevaban diez años sin hablar.

Al revivir esta experiencia comprendí por qué ir a la iglesia había conectado a esos pacientes con el mundo real. Percibí sus agradables sensaciones al beber ponche y comer galletitas, rememorando los buenos ratos pasados en la iglesia, antes de que algo se arruinara en la mente, dejándolos tan extraños.

Me vi cuidando a enfermos de SIDA. En una escena tras otra, los ayudaba a cumplir con pequeñas tareas cotidianas, como hacerse cortar el pelo o ir al correo. En esa revisión percibí lo importante que les parecía no ser condenados por otros por el delito de haber amado a alguien. En cierto punto mi revisión se detuvo en un incidente específico: el día en que acompañé a un joven para que diera a su familia la muy penosa noticia de que tenía SIDA.

Me vi entrar con él en la sala de sus padres. El había pedido a toda la familia que se reuniera para el anuncio y el cuarto estaba lleno: sus padres, sus hermanos y hasta un par de tías.

Nos sentamos delante de ellos y él les espetó inmediatamente:

—Mamá, papá, todo el mundo: tengo SIDA.

Hubo horror en la sala al escucharse sus palabras. Inmediatamente la madre ahogó un grito y se echó a llorar; el padre salió al patio delantero, para estar a solas con su dolor.

Todos sabían desde hacía algún tiempo que este joven estaba enfermo, pues tenía mal semblante y había perdido mucho peso, pero nadie soñaba que se tratara de SIDA.

Fue una confrontación sumamente difícil, que no resultó bien. Ese joven fue rechazado por el padre, que no podía aceptar la homosexualidad de su hijo. También la madre lo trató muy poco a partir de ese anuncio. Al revivir ese acontecimiento sentí la vergüenza y la humillación de los miembros de la familia ante lo que acababan de oír. Yo me había sentido furioso al ver que no reaccionaban como yo esperaba. Ahora podía simpatizar con ellos, pues percibía sus sentimientos y su verdadero horror ante la atemorizante noticia. No estaban en absoluto preparados para algo así.

Cuando salimos de la sala, el joven estaba devastado. Habíamos hablado muchas veces de esa confesión. El quería aclarar las cosas con su familia y tenía sinceras esperanzas de que lo aceptaran. El rechazo sentido allí era como una espada en su corazón.

Yo me sentía muy mal por la reacción de la familia. ¿Habría cometido un error al alentarlo para que se sincerara con ellos? ¿Habría debido decirle que guardara el secreto? Francamente, estaba asqueado.

—Escucha —le dije mientras lo llevaba de regreso al hospital. El lloraba—. Vas a morir. Tenías que hacer esto para mantenerte honrado y puro. Ya lo hiciste y eso es honorable.

Tenía mis dudas sobre todo lo que hice en relación con ese caso. Hasta visité de nuevo a sus padres, para rogarles que supieran perdonar a su hijo en esos días finales. Aún me sentía culpable, como si hubiera ayudado a provocar un desastre.

Pero ahora, al repasar los hechos y sentir las emociones de todos, comprendí que había hecho bien. Aunque todos los involucrados sufrieron, al final él sintió que había revelado su parte oculta a la familia y que estaba listo para morir en paz.

La revisión de vida que tuve en esa segunda experiencia de muerte clínica fue maravillosa. A diferencia de la primera, colmada de agresividad, furia y hasta de muerte, esa fue un despliegue pirotécnico de buenas acciones. Cuando me preguntan cómo es repasar una buena vida abrazado por los Seres de Luz, les digo que es como un gran espectáculo de fuegos artificiales, dónde la vida estalla ante uno en escenas perfumadas con las emociones y los sentimientos de cuantos participan en ellas.

Al terminar esa revisión, el Ser de Luz me dio la oportunidad de perdonar a todos los que me hubieran irritado alguna vez. Para eso debía desprenderme del odio acumulado contra tanta gente. A muchos no quería perdonarlos, pues consideraba que me habían hecho cosas imperdonables, perjudicándome en los negocios y en mi vida personal; no sentía por ellos otra cosa que enojo y desdén.

Pero el Ser de Luz me dijo que debía perdonarlos. De lo contrario, me hizo saber, me encontraría atascado en el plano espiritual que ahora ocupaba.

¿Que remedio me quedaba? Por comparación con el progreso espiritual, esas infracciones terrestres parecían triviales. Mi corazón se inundó de perdón y de una intensa humildad. Sólo entonces comenzamos a ascender.

El Ser de Luz estaba vibrando. A medida que ascendíamos, esa vibración aumentaba; el sonido que emanaba de él se tornó más potente y más agudo. Atravesamos densos campos de energía, cuyo color fue pasando del azul oscuro a un azul blanquecino; en ese punto nos detuvimos. Entonces el sonido del Ser disminuyó y nos movimos hacia adelante. Una vez más, como en la primera experiencia, volamos hacia una cordillera de majestuosas montañas, donde descendimos en una meseta.

En esa meseta había un gran edificio que parecía un invernadero. Estaba construido con grandes cristales, llenos de un líquido con todos los colores del arco iris.

Al atravesar el vidrio cruzamos también entre todos los colores contenidos en el líquido. Esos colores tenían sustancia, como la niebla que se desprende del océano, y nos ofrecieron una leve resistencia al entrar en la habitación.

Adentro había cuatro surcos de flores, bellezas de largos tallos y pétalos ahuecados, con la consistencia de la seda. Presentaban todos los colores imaginables y en cada una de ellas había gotas de rocío ambarino.

Entre esas flores había seres espirituales vestidos con túnicas plateadas. No eran Seres de Luz. Sería más adecuado describirlos como terrícolas radiantes. Caminaban por entre los surcos de flores, emitiendo algún tipo de poder que les intensificaba el color a su paso. Esos colores se desprendían de los pétalos y atravesaban los cristales, devolviendo un arco iris de colores. El efecto era el de una habitación rodeada por diez mil prismas.

Ese ambiente me resultó sumamente relajante. Los colores y el lugar se combinaban con la zumbante vibración del ser para borrar toda tensión. Recuerdo haber pensado: *Heme aquí, muerto o moribundo y sintiéndome a gusto.*

El Ser de Luz se me acercó.

—Esta es la sensación que debes crear en los centros —dijo—. Al crear en los centros tonos y energías puedes hacer que la gente sienta lo que estás sintiendo ahora.

Cobré conciencia de la fragancia que despedían las flores. Al aspirar ese aroma oí un cántico que resonaba en todo el edificio. A-L-A-H-O-M, decía, A-L-A-H-O-M.

Ese cántico me hizo prestar atención a cuanto me rodeaba. Comencé a aspirar profundamente la fragancia y a observarlo todo, con tanta intensidad que era casi como bañarme en ello. A-L-A-H-O-M, A-L-A-H-O-M, y yo estaba cada vez más absorto en cuanto me rodeaba. Comencé a vibrar con la misma velocidad que lo de mi alrededor. Fui uno con cuanto me rodeaba y pude experimentarlo todo. Al mismo tiempo, todo me experimentaba a mí.

Así como yo me sumergía en ese mundo celestial, este se sumergía en mí. Existía una igualdad en la experiencia. Se me daba una experiencia celestial, pero yo también la daba. Me fundía con ese sitio que llamo reino celestial, pero este se fundía también conmigo, con la misma proporción de respeto, valor, esperanzas y sueños. Todas las cosas y yo estábamos allí en un pie de igualdad. Comprendí que el verdadero amor y la comprensión nos hacen a todos iguales. Así es el cielo.

Con gusto me habría quedado allí, tras haber percibido la fragancia celestial y haberme visto entre la esencia de todas las cosas. ¿Qué más podía pedir?

Miré al Ser de Luz, quien sabía, sin duda, lo que yo estaba pensando.

—No, esta vez no te quedarás —me dijo telepáticamente—. Debes regresar otra vez.

Esa vez no pasé por ninguna zona de transición; el cambio fue muy abrupto. Fue como estar en el Palacio de Buckingham, parpadeando, y encontrarse de pronto en una cochera.

Miré a mi alrededor y vi a otras personas cubiertas con sábanas azules. El cuarto estaba muy iluminado y todos tenían tubos en el cuerpo, conectados a bolsas o máquinas. Percibí que tenía tubos en la garganta y agujas clavadas en los brazos. Sentía la cabeza llena de plomo y un elefante sentado en el pecho. Por añadidura, hacía un frío glacial. "Buen Dios", pensé, "me siento peor que antes de la operación."

—¿Dónde estoy? —pregunté a una enfermera.

—En la sala de recuperación —dijo ella.

Cerré los ojos y no recordé nada más por otras dieciocho horas.

En la sala de recuperación ocurrió algo más, de lo que no guardo ningún recuerdo. Franklyn me habló de eso y el médico confirmó su relato.

Poco después de terminada la operación, uno de los cirujanos notó que yo manaba sangre en derredor de un tubo. Tras vigilarlo por un rato, llamó a otro médico. Ambos decidieron que sería preciso volver a intervenir, en un intento de detener la hemorragia.

Franklyn estaba allí, escuchando. Al oírles hablar de otra operación, pasó junto a ellos y se arrodilló junto a mi cabeza.

—Dannion, los médicos dicen que estás sangrando y que tendrán que abrirte otra vez para detener la hemorragia. Tú puedes detenerla, Dannion. Sé que puedes. Trata de detener la hemorragia.

Los médicos esperaron un rato, observando. Pocos minutos después la sangre dejó de manar. Entonces, según dijo Franklyn, los dos se limitaron a intercambiar una mirada y salieron de la habitación.

Pocos días después estaba lo bastante repuesto como para salir de la cama y darme una ducha. Pasados algunos días más, pude ponerme ropa de calle y bajar a la cafetería del hospital, donde pedí una buena comida.

Mientras estaba allí, comiendo pollo frito, a la mesa vecina se sentó el asistente que había apostado a mi muerte. Después de presentarme, le dije lo que había visto y oído mientras ellos se preparaban para cortar.

Lo que le dije lo puso nervioso; llegó al extremo de disculparse por haber hecho semejante apuesta mientras yo aún estaba "despierto".

—No tiene importancia —le dije—. En cierto modo, lamento que no haya ganado usted.

15

Continuará

La operación no me devolvió la salud. Pocas semanas después me dieron de alta, pero en muchos sentidos era como salir de la sartén para caer en el fuego.

Aún me desmayo cuando hago el menor esfuerzo. Con frecuencia me he puesto azul y he tenido que acostarme en medio de un restaurante o una tienda, porque el corazón no bombeaba como debía. Por mucho tiempo sufrí cuanto menos dos desmayos por semana. Acabé por identificar las señales de peligro y aprendí a sentarme antes de caer. Eso me ahorró varios golpes en la nariz, pero aún pierdo la conciencia una vez al mes, poco más o menos.

Algunos de los medicamentos que tomo me hacen muy susceptible a las infecciones; otros, que sirven para licuarme la sangre, hacen que cualquier corte vulgar sangre como un arroyo de montaña.

En el verano de 1993 me corté un dedo y contraje una infección que me retuvo en la cama por casi un mes.

Pese a las grandes dosis de antibióticos que me inyectaban por vía intravenosa, estuve a punto de entrar en shock séptico. Pasé días enteros deseando la muerte, no tanto para visitar otra vez el reino celestial, sino porque apenas podía soportar el dolor físico.

Durante todas esas duras pruebas, las visiones me han sostenido. Aunque ya no "asisto" a clases celestiales para que los Seres de Luz me enseñen a construir los centros, he aprendido bien mis lecciones y planeo construir el primero dentro de muy poco tiempo.

En 1991 terminé la cama, que es el componente más importante de esos centros para la reducción del estrés. La instalé en la clínica que el doctor Raymond Moody tiene en una zona rural de Alabama. Por entonces él comenzaba a estudiar las apariciones facilitadas, método por el cual quienes han perdido a un ser querido pueden tener encuentros visionarios con el difunto. Para lograr esos encuentros es preciso que el paciente esté sumamente relajado. Después de probar él mismo la cama, Raymond decidió que era un medio excelente para relajar a sus pacientes con celeridad.

Utilizamos la cama con muchas personas; los resultados solían superar a la simple relajación. Los pacientes informaban haber experimentado formas intrigantes de estados alterados. Algunos veían calidoscópicas visiones de color; otros se relajaban tanto que, tal como dijo uno, "sentí que implotaba". El estado alterado más común era el abandono del cuerpo.

Ahora que he podido probar la cama en un ambiente clínico, puedo concentrarme en establecer los centros. Estoy trabajando en el primero, situado en Carolina del Sur. La función principal de este primer centro será ayudar a los enfermos terminales a enfrentar la muerte. De cada dólar que este país gasta en la atención de la salud, setenta centavos se emplean en los últimos seis meses del paciente, a fin de prolongarle la vida por un promedio de catorce días. Son los días más horrendos de un moribundo y, por cierto, se cuentan entre los más difíciles para la familia.

Me parece importante que la gente evite una muerte dolorosa. No estoy abogando por el suicidio, sino por el sentido común. La prolongación innecesaria de la vida alienta las falsas esperanzas e impide a una persona efectuar una transición suave y espiritual. También es devastadora para la familia, que suele emplear todos sus recursos financieros y anímicos para mantener vivo al ser amado por unos pocos días más.

Después de haber muerto dos veces, conozco el mundo que nos espera y sé lo mucho que puede ofrecer al enfermo terminal. Por eso el primer centro será un hospicio para ayudar a los moribundos a efectuar esa transición, pero también a su·familia, para que acepte la pérdida inminente. El centro será un sitio de risas y profunda relajación, donde la gente pueda curar el espíritu y construir una fuerte fe en Dios.

Muchas personas me han preguntado por qué soy tan implacable con respecto a esos centros.

—Escuche —respondo—, trece Seres de Luz me ordenaron que construyera esos centros. Me lo impusieron, sin preguntarme si deseaba hacerlos. Simplemente me indicaron que lo hiciera. Cuando desaparezca estaré con ellos para siempre. Sabiendo eso, estoy decidido a cumplir.

En los últimos años he hablado con millones de personas de todo el mundo sobre mis dos experiencias de muerte clínica. Por invitación de Boris Yeltsin me presenté en la televisión rusa con el doctor Moody; sólo en ese país hablé para millones de personas sobre mis experiencias y mis visiones. Hasta pude explicar mi creencia en el capitalismo espiritual: que cada uno debería tener libertad para adorar a Dios como quisiera. "Hay muchos caminos para llegar a la virtud", dije, "y eso es una buena noticia para todos, pues nadie parece estar en el mismo camino, por lo que he podido ver."

Sé que el camino por el que marcho es único. Así me lo dicen con frecuencia las personas con las que trato. Cierta vez, después de hablar en una iglesia sobre mi vida, una mujer se me acercó con expresión desconcertada. Según dijo, había oído a muchas personas hablar de Dios, pero nunca como yo lo hacía.

—Apostaría a que usted bebe —arriesgó.

—Sí, señora, así es.

—Y obviamente gusta de las mujeres, ¿no?

—Sí, señora, así es.

—Pues voy a decirle algo, señor Brinkley. —Me miró con mala intención.— Cuando Dios estaba a la búsqueda de profetas, debe de haber estado rascando el fondo del tonel para encontrarlo a usted.

No podría estar más de acuerdo. Me basta mirarme en el espejo para ver al hombre que he llegado a ser, totalmente estupefacto ante lo que ha ocurrido.

"¿Por qué yo?", me pregunto con frecuencia. ¿Por qué esto tuvo que ocurrirme a mí? Nunca pedí que sucediera. Nunca me puse de rodillas para pedir al buen Dios que me cambiara la vida. ¿Por qué yo?

Para esa pregunta no tengo respuesta. Aun así, en mi búsqueda de consuelo, muchas veces leo la Primera de Corintios, sobre todo el capítulo 14, que contiene algunas de las frases más poderosas de la Santa Biblia. En ese capítulo hay dos versículos que me brindan consuelo:

> Pues el que habla en lengua desconocida no
> habla para los hombres, sino para Dios; pues
> ningún hombre lo comprende; sin embargo
> en el espíritu habla de misterios.
> Pero el que profetiza habla a los hombres para
> la edificación, la exhortación y el consuelo.

No sé por qué fui elegido para hacer lo que hago. Sólo sé que mi obra debe continuar.

Esta edición terminó de imprimirse en
VERLAP S.A. - Producciones Gráficas
Vieytes 1534 - Buenos Aires - Argentina
en el mes de marzo de 1995